L

PIARO

JOËL DEHASSE
COLETTE DE BUYSER

LA EDUCACIÓN
DEL
PERRO

Para una perfecta armonía
entre el propietario y el animal

EDICIONES OMEGA

La edición original de esta obra ha sido publicada en francés por la editorial
Les Éditions de l'Homme con el título

L'ÉDUCATION DU CHIEN

Traducido por
Victoria Coll
Licenciada en Veterinaria

Ilustraciones
Mady Lebeau-Verplancke

Diseño de la cubierta
Cèlia Vallès

Segunda edición 2005

© 1993 Les Éditions de l'Homme
    Division de Sogides Ltée
    y para la edición española
© 1996 Ediciones Omega, S.A.
    Plató, 26 - 08006 Barcelona
    www.ediciones-omega.es

ISBN 84-282-1069-1
Depósito legal B. 7177-2005
Printed in Spain
A&M Gràfic, s.l.

Índice de materias

Prefacio

Usted desea educar a un cachorro. Quiere marcarle unas normas de conducta. Quiere guiarlo.

No imagine que va a crearlo, crear sus emociones, sus sentimientos. ¡No! Tiene su propia personalidad y es la que va a mostrar. A usted pertenece el trabajo de guiarlo en una conducta social aceptable.

No es a un niño a quien educa. Es a un perro con sus elementos innatos (instintos) y su sociabilidad, sus emociones. Para ello, precisa de algunos elementos de conocimiento.

No es especialmente difícil, pero es necesario reconocer la diferencia entre él y usted. Deje que sea él mismo. Tome consciencia de la dualidad entre usted y el perro que va a educar.

Adáptese a su método canino de vivir y adáptelo a su método humano de comportarse. Guíe su comportamiento conociendo su significación.

La diferencia es fuente de desacuerdo e irritación. No se enfade con él, no lo comprendería.

Intente descubrir las motivaciones de sus comportamientos para orientar a estos últimos, canalizarlos, atenuarlos o aumentarlos, enriquecerlos. Jamás suprimirá sus instintos, pero puede modificar los comportamientos que resultan de ellos.

Educar a un perro, es ante todo permitirle vivir una vida de perro en un entorno de humanos en armonía y equilibrio para todos, en el conocimiento y la aceptación de sus diferencias mutuas; es enriquecer su vida y facilitar la cohabitación; es darle una moralidad.

Introducción

-¿Ningún problema de limpieza?

-No se preocupe doctor, tengo siempre mi periódico doblado y permanezco vigilante. Al menor signo, ¡pam...! le restriego la nariz y lo saco fuera. Y él sabe que ha obrado mal, lo veo en su actitud. Intenta enternecernos, pero esto conmigo no funciona...

¡Pobre perro! ¡ Y ese Groenendael de cuatro meses convertido en "malvado" porque le han consentido demasiado! ¡y ese Terranova de seis meses agresivo con aquellos que lo contrarían porque se lo han permitido todo! ¡Y ese Épagneul que se orina cuando alzamos la voz!...

Y cuántas alfombras destruidas, cuántas patas de mesa roídas, cuántos papeles de pared arrancados, cuántos vecinos fatigados por los ladridos incesantes, etc.

Cuántos perros electrocutados, atropellados, intoxicados, con el intestino obstruido o perforado... por un entorno inadecuado o una falta de aprendizaje.

Cuánto tiempo invertido en explicar el porqué y el cómo, en aconsejar, en repetir las explicaciones, en tratar los problemas de comportamiento tan fácilmente evitables.

"¿Otro libro sobre perros?" Sí, pero no como los otros; un libro sobre el comportamiento del perro; un ensayo sobre el porqué y el cómo del comportamiento del perro de cero a seis meses de edad.

¿Para quién? Para los criadores, los adiestradores, los propietarios y los futuros dueños, para todos los amigos de los perros.

Prevenir los problemas es más fácil que curarlos. Enseñar la calma es más fácil que tratar la agresividad. Y es de prevención, de educación, que intentaremos hablarle.

- 1 -
Antropo- y cinomorfismos

No se sorprenda de encontrar al principio de este capítulo sobre la educación, una discusión sobre lo bueno y lo malo del antropomorfismo en psicología canina. Esquematizando al máximo, podemos decir del perro que es un animal social, la sociedad del cual está regida por una serie de comportamientos de base instintiva, mientras que el hombre es un animal humanizado, social, cuya sociedad está regida por leyes morales.

Por otra parte, en un año, el perro se desarrolla en las mismas proporciones que un humano en veinte años; la evolución es veinte veces más rápida (el crecimiento del cuerpo y la evolución del comportamiento) y el mínimo error es pues, antropomórficamente, veinte veces más grave.

Los niños conversan por signos, símbolos, movimientos, posturas, palabras... Los perros tienen un lenguaje no verbal. El hombre ha perdido mucho este tipo de sentido animal en pos del desarrollo del aprendizaje oral y verbal pero espera de su compañero canino la asociación de palabras, situaciones (y castigos) tan fácilmente que ello ni tan siquiera lo haría un niño. El perro habla con su cuerpo, expresando sus deseos y aversiones, su dominancia o su subordinación...

Si usted lo ha dejado solo, quizás haya orinado encima de la alfombra, por desaprobación (dominancia) y si usted se enfada, a lo mejor orina, temblando, con la cola entre el trasero (sumisión). Una misma función puede poseer diferentes significados.

Las eliminaciones son, para el perro, una manifestación social del más alto nivel: informan (es mejor que una tarjeta de visita) sobre el sexo y la edad, el estado de receptividad sexual y el grado de dominancia, la hora y el día de paso, la seguridad del individuo, etc.

"A todos los efectos la educación ofrecida a los animales es sin duda parecida a la de los hombres, aunque estos últimos sean más humanos" (F. Dodson). La educación de un niño o de un cachorro es comparable.

El antropomorfismo es una técnica de estudio de calidad cuando considera que el perro tiene un sistema nervioso sensible. Los malos tratos sufridos por el cachorro durante su primera juventud (véase durante la gestación) repercuten en su personalidad y en su comportamiento, igual como ocurre en el niño. El aislamiento del cachorro y la falta de socialización primaria conducen a importantes problemas de comportamiento, desgraciadamente demasiado frecuentes.

El segundo elemento de cualidad es la insistencia en la constancia en aportar a la educación tanto refuerzos positivos (recompensas) como castigos. La ausencia de esta constancia induce a un efecto contrario al perseguido cuando no conduce a alteraciones nerviosas. Pasear a un perro durante el fin de semana, si los demás días no lo sacamos puede suponer ladridos excesivos y destrucciones (por despecho o por aburrimiento) a lo largo de los días de la semana y durante la ausencia de los propietarios.

El antropomorfismo debe ser sin embargo moderado: los conocimientos científicos recientes en psicología canina han puesto en evidencia ciertos comportamientos caninos específicos. El error más frecuente es asociar las actitudes de los animales a mímicas humanas. El camello, el dromedario y la llama tienen un aire "altanero" por el porte de la cabeza, pero esto no refleja para nada su carácter real. El perro que mira de reojo, bajando la cabeza evitando mirar a su propietario de cara, da la impresión a este último, de tener remordimientos por un acto que ha hecho y del cual se siente culpable. Si el propietario ve seguidamente las flores arrancadas o los libros rotos, hará rápidamente la siguiente asociación: mi perro ha hecho mal y él lo sabe. ¡Pero esto no es así! Un perro que no es castigado dentro de los diez segundos posteriores a una acción reprensible, pierde la consciencia o la memoria de aquello que acaba de realizar, ocupado como está en otra actividad. Su comportamiento es en realidad una manifestación de sumisión por anticipación. Espera el castigo que va a recibir porque usted llega y las flores están esparcidas y los libros deshechos. Asocia el castigo, no con el acto que ha cometido impunemente, sino con la situación a la vuelta del dueño.

¿Es difícil de aceptar? Una pequeña experiencia permite remarcar la veracidad de este fenómeno. Por ejemplo, si su perro destroza las revistas en su ausencia, sáquelo, desparrame libros y revistas sin que el perro le vea hacerlo y vuelva a introducir al perro mientras que usted sale sin decir nada. Regrese después de un cuarto de hora y observe su comportamiento. En la mayoría de los casos, se mostrará sumiso, esperando un castigo. Usted pensaba antes, que él sabía que había hecho mal. Pero, él no ha hecho nada. Su sumisión es anticipada y relacionada a una situación, no a un acto. El castigo que usted le administra está totalmente fuera de lugar y es el que provoca este comportamiento. El perro adopta sumisión con la esperanza de enternecerle (con su debilidad) y evitar el castigo (estúpido) que usted va a administrarle.

Otros comportamientos son propios del perro, o al menos diferentes al comportamiento humano, y pensamos en el marcaje urinario, en la micción por sumisión, en la pseudogestación. En este último caso, la hinchazón de las mamas y la presencia de leche es fisiológica dos a tres meses después del celo y sólo el exceso (nódulos mamarios, bajada de leche, amenaza de abscesos...) es justificable de un tratamiento corrector (médico para el animal y psicoterapéutico para los propietarios que miman a su perro de forma excesiva).

La consciencia y el sentido del deber no son naturales en el cachorro (ni en el niño). Los padres son básicamente responsables del sentido moral de su hijo, haciéndose la educación, en este caso, sobre todo por imitación. El perro también puede actuar por imitación (puede desenterrar las flores al verle a usted trabajar en el jardín, ayudarle a rascar los muros después de que usted haya arrancado el papel...) o por intuición (mostrar agresividad hacia las personas por las cuales sus propietarios sienten antipatía y que deben invitar por cortesía obligada), pero sobre todo, sepa, que él actuará en la medida en que ello le divierta o le sea beneficioso. Y es de esta particularidad que la técnica del refuerzo positivo saca el máximo de ventajas frente a la del castigo.

La educación del perro progresará en la medida en que equilibremos mejor las tendencias innatas con las leyes morales de la sociedad.

- 2 -
Necesidad de contacto

Educar un cachorro no es una cosa que cualquiera puede hacer con éxito. El perro es uno de los pocos animales complejos, que puede establecer una relación intensa con el ser humano. Esta relación suele ser a menudo una mezcla de comportamientos innatos y de educación moral y sólo puede establecerse con personas que están en buena relación con él.

El fundamento afectivo equilibrado es la primera piedra en la construcción de la educación. Muchos propietarios ignoran esta base psicológica (muchos padres también, según el Dr. Dodson). Una educación permisiva debilita la relación y favorece los numerosos problemas de comportamiento que nosotros vemos diariamente. Una educación rígida, excesiva, con una disciplina incondicional, crea raramente una relación entusiasta.

El castigo viola este principio básico: la necesidad de contacto. Cada vez que usted castiga a su perro, le está enseñando a temerle, incluso a detestarle. Cuando golpea a un perro de un año, es como si golpease a una persona de veinte años. Sólo suscita una reacción más violenta por su parte (y es bien normal).

Las posiciones de socialización (Vollmer: ver más adelante) son ideales para construir una relación de dependencia. Realizadas con dulzura, van a permitirle adoptar la posición dominante del jefe de la manada, cosa que en realidad busca el cachorro; un guía instruido, fuerte y dulce.

Los cachorros no aprenden a través de un proceso intelectual sino por un método físico, preferentemente no doloroso. El cachorro deposita toda su confianza en el jefe de la manada y se somete a su autoridad sin perder nada de su propia personalidad.

El animal debe estar en condición de aprender, no sólo por el afecto mutuo que se profesan entre sí el propietario y él, sino también de forma intelectual. Si está preocupado por un juego intenso con sus compañeros, éste no será el momento apropiado para enseñarle a sentarse a la orden.

Por experiencia, los gatos reaccionan a la señal de un metrónomo, y lo prueban unos electrodos implantados en ciertas áreas del cerebro. Sin embargo, puesto ante un ratón, el mismo gato no reacciona para nada al ruido del metróno-mo. Se vuelve sordo, para poder así concentrarse mejor en el nuevo estímulo. También el perro, concentrado en una intensa actividad social (juego, pelea) puede volverse sordo a sus llamadas apremiantes.

Es necesario un mínimo de receptividad, un animal no demasiado fatigado ni enfermo. No intente enseñar a ser limpio a un cachorro que padece de gusanos intestinales o de cistitis, se precipitará a un auténtico fracaso. El animal debe poder cumplir lo que usted le enseña y, para ello, estudiaremos el desarrollo psicomotor del cachorro.

Receptividad y capacidad de aprendizaje son las primeras leyes de educación.

- 3 -
El refuerzo positivo

"El principio de un sistema de recompensas positivo consiste en retribuir siempre un comportamiento deseable pero a no recompensar nunca un comportamiento indeseable. Cuando una acción es seguida de una recompensa o de una retribución, tiene todos los puntos para que se repita" (F. Dodson). Experiencias en psicología canina han demostrado que el aprendizaje era mucho más corto mediante el sistema de recompensas (en forma de comida) de los comportamientos favorables que mediante la técnica del castigo de los comportamientos desfavorables (en forma de choque eléctrico) y esto ya en los cachorros de unos quince días.

Parece ser que el hombre no es el único animal que posee en el sistema nervioso central puntos de placer y de euforia.

¡Aún hay que determinar qué tipo de recompensa administrar! ¿Caricias o comida? La pregunta es más compleja que esto.

La recompensa más eficaz es la comida: galletas o queso, trozos de carne... y a administrar después de cada resultado positivo. La comida es lentamente reemplazada por caricias y voz dulce así como mimos, con los que se obtienen los mismos resultados. De esta forma la comida será reservada para la etapa siguiente.

¡El ejercicio se memoriza pasando por el estómago!

La comida no es indispensable para el desarrollo de la dependencia hombre-animal, pero es un medio fácil y del cual difícilmente podremos pasarnos. La recompensa vocal es insuficiente; la recompensa manual (caricia) haciendo intervenir el sentido del tacto, por el contacto entre el dueño y el perro, tiene un efecto remarcable como refuerzo positivo, mucho más que los mimos y las alabanzas. La sola presencia del dueño, pasivo, constituye ya a veces una forma de recompensa pero una interacción física dulce y cálida es mucho más estimulante.

La comida y las caricias constituyen recompensas continuas pero otras actividades tienen refuerzos intermitentes. **En el perro que pide en la mesa y del cual intentamos desembarazarnos dándole restos de comida, recompensamos su actitud.** Cada lloro no es recompensado, pero alguno de entre ellos sí que lo es. Si el perro corre detrás de las bicicletas, será recompensado al verlas desaparecer a toda velocidad. Si rasca en la puerta, en ciertas ocasiones, usted le abrirá. Este tipo de comportamiento recompensado por su propia actividad, pero de manera irregular, es muy difícil de eliminar sin suprimir completamente la recompensa. E incluso en este caso, perdura a menudo largo tiempo.

Para facilitarle la labor, es bueno insistir que sólo actos precisos pueden ser, o no, recompensados. Los sentimientos no son modificables de esta manera. Si su perro es agresivo frente a otros animales, usted no podrá hacer gran cosa con estos sentimientos mediante condicionamiento, pero puede perfectamente enseñarle a no morder ni ladrar en ciertas circunstancias. Tenga más en cuenta los actos que los senti-mientos. (Los sentimientos pueden ser equilibrados por homeopatía pero difícilmente por un condicionamiento de tipo pauloviano.)

Vale más recompensar lo positivo que castigar lo negativo. Pille al cachorro en "flagrante delito de buena acción" y recompénsele.

¿Qué hacer con la conducta negativa? Ignórela; salvo si es dañina para un individuo, si es vandalismo o si ataca a los nervios.

En general, cuando el perro juega solo, se divierte agradablemente sin molestar a nadie, entonces, consideramos esto como normal y no prestamos atención. El comportamiento deseable no es recompensado, por lo que el perro tiene tendencia a abandonarlo. En el caso contrario, cuando el perro pide en la mesa, orina sobre los zapatos, rasca la puerta, juega con su libro..., molesta a todo el mundo, consigue entonces la atención y es recompensado (refuerzo intermitente) o castigado.

Mordisquea sus zapatos, usted lo caza. Vuelve a la carga, usted se levanta, lo persigue pues ha huido. Es recompensado porque usted entra en el juego de persecución. No podrá alcanzarlo (es más ágil y rápido que usted) y no llegará a atraparlo para corregirlo. Doble victoria para el perro.

El perro prefiere, claro está, una atención positiva que una atención negativa. Sin embargo ante el desinterés, escogerá esta última. Así, curiosamente, el castigo aparece como una recompensa para el cachorro. Y es así que involuntariamente le enseña a hacerse pipí sobre los zapatos, a morder el libro y a mendigar en la mesa. Se hace masoquista para ser el centro de interés de la comunidad.

El perro ha hecho sus necesidades encima de la alfombra. Usted lo ha visto, lo atrapa y le mete la nariz dentro. Después, seguidamente, le da una bofetada en el trasero y lo coloca sobre el periódico desplegado (allí donde querría que lo hiciera) acariciándolo. Algunos perros habrán rápidamente comprendido que lo han de hacer en el periódico. Otros, quizás más inteligentes, han comprendido que, para llamar la atención, hay que abandonar el periódico y hacerlo sobre la alfombra. Estos perros se convierten en sucios, antisociales, por condicionamiento, por su culpa.

Este ejemplo le demuestra que en educación hay que ver al individuo como una entidad, como una personalidad, y lo que es bueno para uno puede revelarse desastroso en otro.

Concéntrese en el refuerzo positivo de las acciones deseables, de manera equilibrada, y abandone el refuerzo intermitente y negativo de los actos indeseables. La asociación de las dos técnicas puede dar resultados favorables pero puede también conducir a alteraciones nerviosas y a problemas de comportamiento.

- 4 -
Los castigos

La cuestión de los castigos es un problema controvertido desde hace mucho tiempo. Intentaremos responder pero no agotaremos el tema. Un hecho es cierto, y es que esta técnica es utilizada por la madre con los cachorros de más de tres semanas de edad. Es en este momento que ella pone fin a sus continuas travesuras alejándose de ellos y sacudiéndolos por la piel del cuello.

También hemos visto que es una técnica relativamente poco eficaz, y sin embargo largamente utilizada, que termina a menudo por agravar el comportamiento indeseado antes que mejorarlo. Esta técnica enseña lo que no se debe hacer y no lo que sí debe realizarse, no incita a comportarse mejor.

Ante todo consiste en un refuerzo negativo y juega pues en ciertas ocasiones el papel de una recompensa que un perro seudomasoquista busca como atención.

Además incita al perro a evitar a aquel o aquella que castiga. Los castigos crean un sentimiento de hostilidad, de rencor y un deseo de venganza. El castigo es un estímulo de aversión y pegando al perro, la persona adquiere ciertas propiedades de este estímulo de aversión y evoca reacciones desagradables. Los castigos engendran reacciones nerviosas que interfieren con las lecciones de aprendizaje y con las relaciones amigables y entusiastas entre el hombre y el animal.

Sea por lo que sea, la técnica de castigo viola la ley de Atracción Social y trae a veces una ruptura irreparable de la relación dueño-perro. La estimulación dolorosa o que produce temor que conllevan los castigos, provoca una reacción de huida y de autodefensa por parte del perro y, si es realizada entre las ocho y diez semanas de edad, puede resultar una impregnación emocional bajo forma de terror imborrable.

Así, un cachorro traído a casa hacia las siete semanas, y entrando en un periodo de desarrollo de su comportamiento donde los miedos se impregnan antes en el sistema nervioso (de 7 a 10 semanas), debe ser educado para su limpieza. Si le pegamos y le "metemos la nariz dentro", el propietario que era una fuente de placer social y físico se vuelve en un elemento desagradable, y este fenómeno se aferra en el perro: el dueño es el origen de reacciones ambivalentes asociadas la una al placer, la otra a la evitación. La duda entre estos dos comportamientos es un proceso clásico para la formación de las alteraciones nerviosas.

En caso de miedo o timidez excesiva, el castigo refuerza y empeora la emoción, de huida o de retraimiento, que se convierte cada vez en más persistente en el sistema nervioso y más difícil de tratar.

El castigo tiene por lo tanto su utilidad, y realizado correctamente como veremos a continuación, vence allí donde las otras técnicas fracasan. El castigo tiene algo que decir en caso de urgencia o de necesidad vital. Si su perro cruza la calle y peligra de ser embestido por un automóvil, un castigo inmediato verbal o físico quizás le evite ser atropellado.

Si su perro mendiga, roe sus zapatos, esparce sus libros y le saca de quicio, un buen bofetón serenará la atmósfera y tranquilizará a los participantes. Pero de todas formas, como dijo Lorenz, hay que dejarlo propinar a alguien que tenga la suficiente ternura como para sufrir antes que el mismo culpable.

Su perro juega con otros perros; lo llama pero no acude. Peor aún, se aleja de usted y debe por lo tanto gritar todavía más, ya no le oye. Le espera, está seguro que le ha oído pero que lo hace adrede de no escucharle. Se encuentra en estos momentos de muy mal humor. "¿Cómo enseñar la llamada a este tozudo en estas condiciones?" se preguntará. Finalmente vuelve, (siempre vuelven en un momento u otro). Lo atrapa y ¡PAM!; ¡una buena reprimenda! Un hecho estúpido e inútil. Hace mucho rato que el perro ha olvidado que lo había llamado y ahora que regresa, y es lo que usted deseaba a fin de cuentas, lo castiga. Le está enseñando a detestar el hecho de volver. Y el problema se encuentra ante todo en su propio comportamiento: se venga de haber debido esperar tanto tiempo. El castigo es *su* válvula de escape, son sus nervios y su cólera que alivia aun en detrimento de las leyes de educación. ¡Mantenga su sangre fría! No olvide que esto que ahora usted emprende con dificultad debe aportarle grandes placeres durante más de diez años en un futuro.

¿Cuándo y cómo suministrar un castigo? Diez segundos bastan a su perro para olvidar la ocupación que acaba de dejar. La norma a respetar: el castigo debe producirse inmediatamente después de la acción y estar perfectamente ligado a ésta. Es mientras que muerde su zapatilla que debe ser corregido y, si es posible, por mediación de la propia zapatilla.

Si desparrama la basura, es durante este acto que hay que corregirlo y no después, cuando vuelva para echarse, cansado a sus pies, pues en este caso es el placer de verle lo que asociará con el estímulo de aversión. Si tira la basura, come los desechos y tiene náuseas y vómitos inmediatamente después, puede estar seguro que la lección será aprendida y que no volverá a hacerlo demasiado pronto, pues el castigo ha seguido al acto y está directamente asociado con él.

Una precaución útil, para evitar a la persona de ser asociada con el estímulo de aversión, es el castigo a distancia. Un tirachinas o una pistola de agua le permitirán actuar a distancia sin perder su actitud natural o su inocencia. Es lo que podríamos llamar el "telecastigo". Es indispensable en estos casos no intervenir con la voz o con movimientos perceptibles por el perro para evitar ser asociado con el castigo. Lo que buscamos, no es sólo que el perro se comporte bien en presencia del dueño, sino que actúe correctamente en todo momento. Asociar al propietario con el castigo, supone desarrollar problemas de ansiedad en presencia de humanos. Ésta no es sin lugar a dudas nuestra finalidad.

Aún es mejor la ausencia de su participación: si su perro salta o rasca la puerta, disponga trampas para ratones en los lugares donde lo haga y asociará miedo o dolor con el lugar y el comportamiento que vaya a empezar o que está ocupado en realizar. Agitar una lata llena de piedras hace un ruido temible y ello puede bastar para detener un comportamiento inaceptable en el caso de cachorros y perros sensibles; es lo mismo con una cadena o un manojo de llaves que tiramos, a distancia, cerca o sobre el perro, sin hacerse ver u oír, para conservar la eficacia máxima del telecastigo.

Además de la eliminación de los comportamientos indeseables, la técnica del castigo es útil para facilitar la dominancia del dueño. "El castigo, en el perro, no es función del dolor percibido sino de la revelación de la fuerza de aquel que castiga" (Lorenz). Esta norma es esencial. Los perros responden naturalmente a los factores que mantienen una jerarquía de dominancia. Golpear, dar bofetadas, no es una forma de castigo adecuada. Para imitar al máximo el sistema penal canino de un jefe de manada, habrá que morder al perro en el cuello, levantarlo y sacudirlo. Cogerle con la mano la piel del cuello y sacudirlo suele ser en general suficiente; ¡no vaya a dislocarse la mandíbula!

Este método es más eficaz y, utilizado por primera vez en un perro adulto, puede ser más traumatizante físicamente que una paliza.

Allí donde una elevación de la voz es suficiente para provocar una sumisión, procure no golpear. El castigo o el grado de estímulo de aversión depende de cada individuo. Algunos necesitan una "paliza" cuando a otros les basta un simple levantamiento de la voz. Respete la sensibilidad y la personalidad de su perro.

En el caso en que haya un ataque de otros animales, el cadáver de la víctima puede servir de objeto contundente para administrar el castigo. Por supuesto se trata menos de hacer daño que de provocar el horror del animal muerto (Lorenz).

Ciertas dificultades pueden suprimir totalmente el efecto buscado. Así, asociar castigos a los comportamientos inadecuados y recompensas a los comportamientos deseables sin hacer prueba de constancia (un día recompensamos, otro día castigamos) construye, en los perros con un sistema nervioso frágil, tensiones emocionales que conducen fácilmente a alteraciones nerviosas y a problemas de comportamiento. Estas tensiones emocionales son liberadas generalmente en ausencia de los dueños bajo forma de diversas destrucciones.

Una segunda dificultad consiste en la inadecuación de la asociación entre estímulos dolorosos y el acto reprensible. Hemos hablado del perro que hace sumisión y que el dueño piensa que siente su culpabilidad. Hemos hablado del perro que es castigado cuando vuelve mucho tiempo después de la llamada.

Una tercera dificultad proviene de la ignorancia de la tipología canina. **El castigo se muestra eficaz en los perros cobardes** que son de tipo inhibido. Por el contrario **son desencadenados un máximo número de problemas al castigar a un animal agresivo.** Estos perros asocian generalmente bien el castigo al acto, pero provoca en ellos reacciones hiperagresivas y de venganza. Castigar cuando está amenazando a otro perro provocará la pelea. Castigar, se vengará sobre otros animales que conviven pacíficamente con él (agresividad redirigida). Castigar, destrozará la casa. Castigar, morderá la mano del dueño, pues la asociará con el estímulo de aversión.

De la misma manera y por las mismas razones, **el castigo variará con la raza:** un castigo relativamente suave será suficiente para un Beagle pero el castigo de un Terrier provocará resistencia y agresividad y desencadenará hostilidades.

La exageración en todas las cosas es perjudicial. El exceso de amenazas y de castigos físicos conlleva lo que podemos llamar el "síndrome del castigo" (Campbell).

El perro muestra un comportamiento de sumisión, reservado a las personas que lo maltratan y que puede generalizar con todos los humanos. No hay que confundir este síndrome con una timidez excesiva. El perro aprende a actuar con sumisión para evitar de esta forma las palizas. El perro ha perdido confianza en sí mismo y para curarlo habrá de permitírsele pequeños triunfos en tareas sencillas como: "sentado", "echado", "ven" con caricias y animándolo calurosamente. El propietario debe agacharse y acariciar a su perro en el flanco o en el pecho; a menudo la posición erguida y la aproximación de la cara son asociadas por el perro a amenazas. Tranquilícelo y se curará rápidamente, evite cualquier castigo y utilice la técnica del refuerzo positivo.

Existen igualmente otros estímulos de aversión como atar a un perro firmemente y durante varias horas al pie de la mesa que estaba royendo. La privación de libertad asociada al lugar del comportamiento delictivo puede conllevar a evitar este comportamiento. El tratamiento funciona aún mejor si el propietario simula indiferencia total hacia su compañero.

Si su perro no acude a la llamada, amenácelo con abandonarlo. Escóndase y espere su vuelta. Si se asusta de no verle, llámelo suavemente y acaríciacelo a su vuelta. Si su perro le observa a distancia negándose a volver, aléjese en el otro sentido como si fuera a abandarlo. Le seguirá por miedo a quedarse solo. Estos ejemplos utilizan la ley de la Atracción Social.

Otra técnica que realmente no es un castigo, es el método del **fuera de juego** (Dodson). Aísle al perro durante algunos minutos o aíslese usted mismo y hágalo con sangre fría, con indiferencia. Esto no debe ser un castigo ni siquiera una atención negativa. Cuidado, si se asusta al quedarse solo, no le abra, espere a que se tranquilice, entonces, ábrale. No recompense jamás un comportamiento indeseable.

Si su perro quiere jugar, mordisquea sus zapatos, tira el paquete de periódicos para arrastrarle a una persecución, que usted no desea emprender, aíslese un cuarto de hora, sepárese de él. Meterlo a él en la bodega o en la cocina, significa atraparlo y por lo tanto entrar en su juego. Debe ser usted quien se aísle. Como sus travesuras no producen por su parte reacción positiva ni negativa, el comportamiento será rápidamente abandonado.

Su perro no es limpio y se orina en la alfombra. La alfombra está estropeada. Entonces la mejor manera para volverlo más limpio es estimular (sin exceso) las eliminaciones en el exterior, y no reaccionar cuando lo hace encima de la alfombra, salvo si lo cogemos en el momento justo encerrándolo inmediatamente después y durante una hora en una habitación donde no pueda destrozar nada. El aislamiento desagradable asociado al comportamiento inconveniente (sucio) y el refuerzo positivo equilibrado del comportamiento adecuado corregirán a su perro de ensuciar.

Este último ejemplo es la combinación del **fuera de juego** y la **técnica de extinción.** Ésta consiste simplemente en no animar una acción anteriormente recompensada. Permanezca tranquilo e indiferente, el comportamiento al no ser recompensado desaparecerá. De todos modos esto puede ser largo y difícil, sobre todo al ser la recompensa discontinua como cuando rasca la puerta para salir o persigue a los coches o ladra al cartero. En estos casos el fuera de juego y el castigo aceleran el proceso de recondicionamiento.

La extinción da resultados espectaculares en numerosos casos en los cuales el animal, por su comportamiento, busca llamar la atención: haciéndose pipí, rascándose, tosiendo (falso asma), autolesionándose o cojeando..., y esto sin padecer una alteración física real.

Utilizar estas técnicas para desanimar al cachorro de jugar con todos los objetos que le "caen bajo la pata" es algo deseable, ciertamente, pero no hay que olvidar sus necesidades biológicas fundamentales. Los cachorros necesitan correr, saltar y hacer ruido, lo que va en contra de los gustos de los adultos que necesitan paz, tranquilidad y orden. Y sin embargo, es necesario enseñar al cachorro la coordinación muscular, la habilidad motora y el control de las actividades impulsivas.

Es igualmente deseable el control del medio. El entorno está construido para humanos, reposados y reflexivos, y no para cachorros turbulentos y exuberantes. Si la basura es accesible, se encontrará frente a algunos problemas. Si el hilo y las agujas de coser están encima de una mesa baja, nos arriesgamos a tener problemas por ingesta de cuerpos extraños agudos y perforadores. Si tiene pocas ocasiones de actuar incorrectamente, la vida de todos será más fácil, usted tendrá menos necesidad de castigarlo y él aprenderá menos travesuras.

No olvide tampoco la necesidad que tiene el animal de imitar a sus dueños y no se sorprenda si, después de haber plantado bonitas flores, se encuentra que su perro las ha arrancado todas.

Estadísticamente, ha sido constatado que el castigo había sido utilizado por un 25% de propietarios de perros sin problemas psicológicos; que por el contrario, los perros que muestran diversos problemas (agresividad, destrucción, ladridos, problemas de suciedad, etc.) son castigados en un 59% de los casos. "No parece que haya ninguna duda en que esta práctica (castigo) es ante todo causante y no curativa" (Campbell).

- 5 -
¿Quién dirige el juego?

La psicología del perro es fundamentalmente la de un animal de manada, en la cual los miembros siguen y buscan al jefe. El perro es feliz al dejar las responsabilidades a aquellos que mandan.

Hemos visto que la madre ya utiliza los castigos cuando los cachorros tienen tres semanas y sobre todo, a partir de las cinco semanas de edad, al principio del destete. La madre gruñe, pellizca. Los otros miembros del clan, igualmente, atrapan a los cachorros por el morro y el pescuezo, y los sujetan en el suelo, para hacerse respetar por estos pequeños impertinentes.

Y sin embargo los cachorros no les temen y buscan su compañía, utilizando para ello las posturas de sumisión. De esta forma penetran en la jerarquía social e intentan ir ascendiendo peldaños. El cachorro sano es ante todo un individuo arribista y buscará llegar tan lejos como le permitamos.

Acuérdese de que si el perro no tiene intención de obedecerle, ningún método de disciplina será útil. Y a pesar de todo, la manera como el propietario educa al cachorro es determinante para su futuro comportamiento. El perro puede tener un fondo bueno o malo (esto último es raro) pero sea cual sea, su sistema de educación es el elemento predominante.

Cualquiera que sea la edad de su perro, si *él posee el poder, usted ha "fracasado"* como educador.

Los padres son a menudo demasiado indulgentes. Este tipo de dueño, que cede a todos los caprichos de su perro y se deja manipular, lo hace a menudo por razones psicológicas profundas, escondidas e inadmisibles. ¿Piensa que si no le deja hacer a su antojo, no le querrá?

El perro mimado es el que presenta más problemas de comportamiento. El perro subordinado no destroza aquello que pertenece a los dominantes. No marca su territorio dentro de la casa. No muerde y no muestra agresividad contra los miembros de la familia. No pide durante las comidas y no le "da la lata" a lo largo del día. Acepta moderadamente el aislamiento, etc.

Si las caricias son una forma de dominancia en el joven cachorro de pocas semanas, ocurre de forma distinta después del destete. Las muestras de afecto son demostradas, dentro de la manada, a los animales dominantes y el exceso de caricias y de manifestaciones de cariño afirman el liderazgo en el sistema nervioso de su compañero. En este momento son los castigos los que refuerzan su posición de dominante y a las quince semanas esta relación jerárquica debe ser establecida, bajo pena en el futuro de numerosas y desagradables consecuencias en caso contrario. En este último caso, son altamente recomendadas clases de obediencia.

Los ejercicios de socialización (Vollmer) permiten establecer la relación líder-subordinado. El cachorro aprende por un proceso físico y no intelectual. Es necesario mostrarle que usted tiene fuerza suficiente, por una parte, y que no es dañino, por otra. Así él confiará en usted y le buscará. Para ello existen tres posiciones: la elevación, la inversión y la pronación.

La **elevación** podría consistir, para imitar la forma de hacer canina, en coger el cachorro por la piel del pescuezo y elevarlo del suelo. Sin embargo, en el caso de un ca-

chorro mayor, esto supone el riesgo de hacerle daño. El ejercicio dará un mayor resultado si, con las dos manos por detrás de los hombros, levanta al cachorro, frente a usted, mirándolo a los ojos. Si se debate, sacúdalo y levante la voz. Cuando se tranquilice, háblele suavemente y felicítele. Repita el ejercicio en diferentes lugares con diferentes personas, si es posible con toda la familia. Si el cachorro es demasiado grande o pesa mucho, o si la persona que lo manipula es dema-

siado joven o débil, una variante de este ejercicio permitirá realizarlo bajo una forma diferente con el mismo efecto. Colóquese encima del perro, mirando en la misma dirección, y levántelo con las dos manos por debajo del tórax. Manténgalo así medio minuto felicitándolo por su tranquilidad o riñéndolo y sacudiéndolo con una mano por la piel del cuello si no se queda quieto.

La **inversión** consiste en girar al cachorro sobre la espalda cuando está levantado o bien levantarlo cuando está echado.

Para la **pronación,** acueste al animal sobre el costado y levante la pata posterior, opuesta al lado sobre el cual está echado, para ex-

poner el vientre. Manténgalo cogido por la piel del pescuezo con una mano y, con la otra, manipule las patas y el morro, retraiga los belfos y coja firmemente la mandíbula.

Esta posición es adquirida espontáneamente en caso de sumisión frente a un colega canino más dominante. Repita este ejercicio en diferentes lugares, en el interior y en el exterior. Después de estas manipulaciones, ejercidas con suavidad, el cachorro aceptará más fácilmente que le cortemos las uñas, que le cepillemos los dientes, que le limpiemos las orejas, etc.

Pronación

Sumisión ante un dominante

- 6 -
En el útero

Se ha demostrado que un estrés importante en la perra gestante provoca un aumento de la "emocionabilidad" (emotividad futura del animal) de los cachorros.

El estado emotivo de la madre repercute en la personalidad de los hijos que lleva. "Las madres deprimidas, tristes y desanimadas, traen al mundo hijos que presentan niveles más elevados de alteraciones nerviosas, debido esto a que su personalidad se ha estructurado en un clima de miedo y angustia" (Verny). Una perra ansiosa trae al mundo más cachorros ansiosos que una perra equilibrada. Se trata de un fenómeno hereditario, pero ¿está ligado a los cromosomas o al aflujo hormonal que inunda al feto durante la gestación y altera la regulación de su termostato emocional hipotalámico?

Los cachorros cuya madre sufre de carencias alimentarias durante la gestación, muestran una avidez anormal por la comida; no tienen nunca bastante. Por lo tanto, dé raciones equilibradas, sin exceso de una u otra parte, a sus perras gestantes. Un padecimiento nutricional de las madres induce a la obesidad en los jóvenes por una avidez continua y jamás satisfecha.

Al igual como la carencia alimentaria inscribe un programa que marca el sistema nervioso del cachorro, los estados emocionales maternos influyen la personalidad futura del feto. El amor construye una personalidad optimista y afectuosa, la ansiedad una naturaleza angustiada y el odio un individuo pesimista que rechaza crear lazos sociales con los demás.

Las emociones maternales que, contrariamente a los estados emocionales, son fenómenos pasajeros, construyen activa y positivamente la personalidad de los pequeños pues activan el desarrollo de la consciencia y la percepción de sí mismo por la experimentación de emociones variadas y opuestas.

Así, lo que es importante, es el aflujo hormonal excesivo a nivel del hipotálamo (y otros centros nerviosos) del feto. El estado emocional maternal, su estado psíquico, conlleva la secreción de hormonas sanguíneas que, a través de la placenta, influencian al feto y establecen una predisposición *física* a la emoción debida a la modificación de los centros donde están ubicadas estas emociones (sobre todo a nivel del hipotálamo y del sistema nervioso autónomo).

Las comunicaciones entre madre y feto se realizan de tres formas. Una comunicación fisiológica por tránsito de elementos vitales a través de la placenta, una comunicación del comportamiento (la madre se echa de una forma, se frota el vientre..., y los fetos responden con sus movimientos) y una comunicación por simpatía o extrasensorial, el feto posee un "radar afectivo" donde las menores emociones maternas se registran. Esta modalidad simpática es predominante al principio de la vida y poco a poco envejece por el desarrollo de capacidades mentales, salvo en algunos individuos que conservan estas capacidades parapsicológicas.

La cesárea, al impedir al feto pasar por el canal pélvico, rico en estimulaciones cutáneas y en reacciones emocionales extremas (de la alegría a la angustia de ser comprimido y empujado) durante el parto, provoca en éste una carencia. Los niños así nacidos tienen un deseo desenfrenado de contactos físicos, de caricias, de ser cogidos en brazos.

Así pues, una perra, ansiosa y angustiada, debe ser colocada en un entorno que disminuya al máximo su angustia. Debe ser mantenida en lugares conocidos y no debe ser sometida a estrés importantes tales como variaciones de temperatura, medicaciones diversas y forzadas, ejercicios violentos, desplazamientos desconsiderados en coche, barco o avión, traslados, aislamientos... Debe estar rodeada de afecto sin ser excesivamente molestada y su alimentación ha de ser adaptada.

Sin estar completamente aislado, el nido o el lugar de parto debe ser un lugar seguro, al abrigo del exceso de luz, de ruido, de la agitación de la casa y de los visitantes, una zona de reposo y tranquilidad. La perra debe estar habituada a este lugar y haberlo convertido en su territorio.

Respecto a este tema, es mejor que el nido esté situado dentro de la casa (no en el garaje o en el sótano), en una habitación tranquila con una salida hacia el exterior (si es posible hacia el jardín).

Los propietarios (o criadores) deben mantenerse tranquilos y serenos durante el parto. Es inútil que transmita su nerviosismo a la perra que pare o le enseñe, para próximos acontecimientos, a aullar y llorar sin parar a imagen (y por imitación) de sus propietarios (histéricos).

El exceso de solicitud, como molestarla intempestivamente, puede perturbar a la perra y llevarla, eventualmente, a matar a su camada.

Estos consejos, evidentes desde hace tiempo, tienen ahora bases científicas que han permitido ir mucho antes del nacimiento al origen de la memoria, de la personalidad y de ciertos problemas de comportamiento.

Una palabra aún sobre este importante asunto. Este Bóxer de nueve semanas, puesto por primera vez en su vida delante de "un hombre de ataque" (vestido con protecciones especiales para soportar los asaltos de un perro durante los adiestramientos), lo ataca furiosamente y se cuelga de sus piernas. Su padre no había seguido este adiestramiento, su madre sí. No había ninguna razón especial por la cual este cachorro debiera atacar a este personaje, no estaba inscrito en su memoria genética. ¿Cómo ha sabido, y ha podido, realizar este comportamiento específico?

¿Azar? No lo creemos. ¿Transmisión de una memoria química?

Es cierto que la sustancia nerviosa de ratones habituados a un laberinto, inyectada a otros ratones, transmite a estos últimos la memoria de los primeros: estos ratones se desenvuelven mucho mejor dentro del mismo laberinto que los ratones que no han recibido este aporte. La memoria puede por lo tanto, ser fijada a un soporte transmisible. ¿Pero esta transmisión puede también hacerse de una generación a otra? Pensamos que sí.

El adiestramiento de ataque, ¿provoca pues ciertos problemas? Es muy posible, al menos en el caso del perro de familia llamado a responder afectuosamente a los amigos de la familia. El problema no se plantea en el perro adiestrado, mantenido bajo control, pero sí en su descendencia.

¡Infórmese! Si los padres han seguido este tipo de adiestramiento y el cachorro debe de ser un animal dulce y no agresivo, ¡reflexione bien antes de adquirirlo!

- 7 -
El periodo neonatal

Ocurriendo entre cero y dos a tres semanas de edad, el periodo neonatal realiza la transición entre el comportamiento fetal individual y las primeras relaciones con los hermanos y hermanas durante la fase llamada de socialización primaria.

El cachorro nace dentro de sus membranas fetales. La perra las lame e ingiere y no se interesa por su cachorro hasta que éste se agita, bajo su lengua, y chilla, lo que establece la respiración espontánea, estimulada y acelerada por el lamido materno. Este último, a nivel de la nariz, estimula el desplazamiento del feto, quien, si toca el vientre materno, avanza entonces hasta las mamas.

Los reflejos del cachorro recién nacido son orientados hacia la búsqueda de la madre, la cual provee de todos los elementos de primera necesidad y de las primeras relaciones emocionales.

Lamiendo el perineo, la madre provoca en el cachorro la micción y defecación; lamiendo la piel, estimula al feto a respirar (esto aumenta la frecuencia e intensidad de las inspiraciones). Las respuestas al dolor (y no la sensibilidad dolorosa pues sabemos pocas cosas al respecto) son débiles y lentas (es el mejor momento para cortar la cola en las razas donde el estándar y el trabajo específico necesitan esta mutilación); las vocalizaciones de desamparo son intensas y empujan a la perra a devolver a sus retoños al nido.

El reflejo de "hurgar la nariz", estimulado artificialmente por el tacto y el cosquilleo de la nariz, permitiría al cachorro arrastrarse sobre una distancia de más de cuarenta metros sin mostrar signos de fatiga (Fox). Este reflejo disminuye hacia los quince días con la abertura de los ojos y el aprendizaje de la marcha hacia atrás. A esta misma edad el cachorro muestra los primeros signos de miedo y huida ante una estimulación dolorosa o desagradable.

El cerebro se desarrolla lentamente durante la primera semana de vida pero enseguida las modificaciones morfológicas se hacen más rápidas, con un máximo desenvolvimiento hacia las seis semanas. El desarrollo del comportamiento está en correlación estrecha con el del cerebro y, de forma similar, se encuentra un máximo de socialización primaria entre las cinco y siete semanas.

El desarrollo nervioso está en relación con las diversas estimulaciones del organismo. Si volteamos frecuentemente a un cachorro, las neuronas de los nervios vestibulares (nervios del equilibrio) serán más rápidas y más fuertemente desarrolladas. La estimulación aumenta la función.

Los cachorros nacen ciegos; si los criamos en la oscuridad hasta la maduración del nervio óptico (a las seis semanas), permanecen ciegos con los ojos capaces de ver pero un nervio incapaz de transmitir los impulsos eléctricos al cerebro (nervio óptico).

De la misma forma un cachorro aislado, criado sin interacción física con otros individuos, es incapaz de percibir el dolor y por ello, se acerca a oler la llama de una vela sin saber que la quemadura es dolorosa.

En relación con la falta de madurez cerebral, la regulación de la temperatura es débil hasta la edad de tres semanas.

Los cachorros duermen la primera semana apilados (los unos sobre los otros) y en paralelo (uno al lado del otro) hacia las dos semanas. Este comportamiento permite evitar las pérdidas calóricas manteniendo la temperatura corporal. El nervio óptico llega a la madurez hacia las tres semanas de edad.

El comportamiento nutritivo evoluciona rápidamente, pasando de mamar (con presión de las patas delanteras para retirar la mama de la cara y permitir, por una parte, la respiración y, por otra, el descenso de la leche) a ingerir alimentos sólidos predigeridos hacia las tres semanas. La tensión oral debida a la necesidad de succión es apaciguada por la ingesta de leche (pero también mamando de los hermanos y hermanas o de objetos diversos) y marca el inicio de la fase de exploración oral del entorno.

Los cachorros permanecen cerca de la mama durante mucho tiempo después de haber llenado el estómago y suelen a menudo dormirse. Si intentamos despertarlos, maman de nuevo y con gran ímpetu.

Los cachorros se comunican por quejidos, lloros de protesta, "maullidos" de alegría y diversos ruidos que adquieren su máximo hacia el noveno día y disminuyen hacia las cuatro a cinco semanas. Los gruñidos y ladridos aparecen a las tres semanas, aumentan hacia las nueve semanas para persistir seguidamente.

El cachorro de esta edad suele estar generalmente en casa del criador y, por lo tanto, es éste quien debe encargarse de desarrollar al máximo las capacidades del animal. Las manipulaciones cotidianas aceleran la maduración cerebral y actúan como una forma de dominancia. Pese los cachorros todos los días: no solamente descubrirá rápidamente diversos problemas de crecimiento sino que además la manipulación acelera la maduración de los centros del equilibrio. Al acariciarlos y frotarlos, estimula además los receptores táctiles.

Introduzca los estímulos auditivos más variados (radio, grabaciones) y los estímulos visuales (lámparas, espejos, destellos luminosos, etc.) incluso antes de la maduración de los centros de la visión y de la audición, sin cegar ni ensordecer a los cachorros. Hay que tener en cuenta que el exceso puede estresar a los recién nacidos.

Ayude a los desplazamientos colocando en el nido una superficie que posea una textura que permita el apoyo de las patas y evite los resbalones.

Los cachorros tendrán pronto las tres semanas. A partir de este momento empieza para ellos un periodo fundamental, marcado por la maduración de los órganos, el destete, el desarrollo de las capacidades adultas... Ésta es la fase de socialización primaria.

- 8 -
El desarrollo psicomotor

Tres semanas

El tono muscular se ajusta, el sentido del equilibrio se acentúa, las eliminaciones reflejas desaparecen. El cachorro se orienta hacia los sonidos y las luces percibidas y reacciona violentamente ante el dolor. El número de contactos maternos disminuye, lo cual marca el inicio del destete. La leche materna mana de forma intermitente y así los cachorros maman menos. Empiezan a comer carne predigerida y reconocen su entorno mediante aprendizaje bucal. La madre empieza a castigar a los cachorros y a evitarlos cuando son demasiado impertinentes.

El cachorro gruñe y ladra, su memoria se desarrolla. La curiosidad y la investigación adquieren su máxima expresión hacia los veinte o veintitrés días.

Cuatro semanas

El cachorro evoluciona tranquilamente hacia los reflejos sensoriales y motores adultos. El reflejo de "mamar" desaparece. Los cachorros se reconocen visual y auditivamente y este comportamiento está en correlación con la aparición del comportamiento de aproximación y de evitación. Las actividades neonatales disminuyen.

La aparición de nuevas capacidades (por maduración nerviosa) conduce a la creación de nuevos tipos de comportamientos. Las reacciones de miedo están bien desarrolladas a esta edad.

El E.E.G. (electroencefalograma) se aproxima al adulto, igualmente la visión, aunque la retina sea débilmente funcional hasta la edad de cinco a seis semanas. También aparece la fijación visual y las reacciones de amenaza de las cuales forma parte activa (el perro fija su mirada en sus ojos sin retirarla). La profundidad de campo es ahora percibida, así como el relieve. El reflejo palpebral estaba ya presente a los catorce días.

La madre deja progresivamente de estimular la región ano-genital para las evacuaciones y los cachorros empiezan a salir del nido y a eliminar de forma independiente. El control de los esfínteres es más seguro. Durante la limpieza, los cachorros levantan a veces una pata delantera, lo cual, asociado con el movimiento de la cola y los lamidos en los labios maternos, es una forma de solicitar la atención y de intentar obtener comida, predigerida, de la madre que la regurgita. Dar la pata es seguido a menudo de tumbarse de espaldas, con las patas posteriores separadas. Este último comportamiento será progresivamente reforzado como postura de sumisión mediante el juego y las interacciones con los otros miembros de la manada.

El cachorro solicita la atención materna y estimula la regurgitación de los alimentos.

Los primeros juegos de combate entre los cachorros aparecen a las cuatro o cinco semanas y conducen al establecimiento de una jerarquía (entre los jóvenes) que permanecerá durante años. Mordisqueo mutuo de las orejas, lamidos, introducción en la boca: una estimulación excesiva provoca lloros y movimientos de huida. El cachorro aprende con el juego el dolor que puede provocar con sus mordiscos. Juegos de combates, cogerse por el pescuezo y "ataque a las presas" van apareciendo, así como también las vocalizaciones de agresividad, gruñidos y retraimiento de los belfos.

Los cachorros duermen al principio en pequeños grupos y, hacia las seis semanas, dormirán solos. Los primeros signos de actividad sexual aparecen, primero en los machos, durante el juego: los cachorros se montan los unos a los otros, se agarran y muestran movimientos pélvicos. La aparición de estos signos se produce entre la cuarta y la séptima semana de edad.

La maduración de los nervios y del sistema nervioso central se acentúa hasta las cinco semanas; a partir de este momento las neuronas juveniles no muestran diferencias con las neuronas de los adultos. La reactividad de los nervios era ya, a las cua-

tro semanas, similar a la de los adultos. En el caso del niño, un mismo nivel de maduración aparece hacia los dos años de edad. Es posible por lo tanto, una comparación entre el cachorro de cuatro a seis semanas y el niño de dos años. El control de los esfínteres está asegurado (relativamente) a estas respectivas edades.

La expresividad facial del cachorro de cinco semanas contrasta con la apariencia inexpresiva de aquél de tres semanas: este fenómeno es debido al alargamiento del morro, al desarrollo y al control de la musculatura facial dirigiendo la elevación de los labios y la movilidad de las orejas.

Los cachorros se aproximan mutuamente de dos maneras: cabeza con cabeza y cabeza con región inguinal, el cachorro que es aproximado permanece inmóvil, como lo hacía cuando su madre le lavaba esta zona corporal. Esta aproximación inguinal persiste como un modelo invariable en la vida adulta.

Los cachorros pasean, siguiéndose los unos a los otros, con pequeños objetos en la boca: son los primeros signos de actividad en grupo. Un ruido fuerte hace a menudo huir al grupo entero.

A esta edad escogen un lugar para las evacuaciones, a distancia del nido, y van con mucha frecuencia.

Seis semanas

El periodo crítico de socialización primaria alcanza su máximo en esta edad para finalizar hacia las doce semanas. Similarmente, el desarrollo de las áreas cerebrales es rápido hasta las seis semanas y aparecen las características morfológicas adultas.

Con el desarrollo de las capacidades motoras, visuales y auditivas, el cachorro está preparado para interaccionar con sus compañeros de la misma edad y para crear las relaciones sociales primarias y las respuestas emocionales positivas y negativas.

Entre cinco y siete semanas se sitúa su comportamiento de aproximación y por lo tanto, la posibilidad de socialización con el hombre (y los otros animales) mientras que a las doce semanas, el cachorro adquirirá su comportamiento de evitación y, desde este momento, la socialización es difícil de establecer. Estos mecanismos innatos tienen un valor de supervivencia para la especie salvaje porque permite la socialización con los miembros de la raza e inhibe (después de las doce semanas) la generalización de esta respuesta social con otras especies, asegurando la supervivencia frente a los depredadores mediante reacciones de evitación, de miedo y huida.

Es la edad ideal (de cinco a ocho semanas) cuando el cachorro es introducido en casa de sus nuevos propietarios y se acostumbra a su nuevo entorno. Los contactos frecuentes con la gente y otros animales, con el entorno urbano o rural, con sus ruidos particulares, los que condicionan al cachorro a una situación nueva que será la de su vida entera. La dominancia de los propietarios y la socialización equilibrada impiden casi por completo el desarrollo de problemas así como trastornos de comportamiento, psicosis y alteraciones nerviosas para toda la vida del animal.

El aislamiento nocturno del cachorro adquirido, provoca lloros, aullidos y ladridos que son signo del trauma emocional que padece. Sin embargo, lejos de ser negativo, este proceso acelera la socialización con los nuevos propietarios y asegura el establecimiento más rápidamente de un lazo afectivo con los humanos.

A esta edad, el cachorro se socializará con todo animal con el cual entre en contacto durante un cierto tiempo, sea cual sea la experiencia emocional sufrida (al menos antes de las siete semanas), negativa o positiva, pero no hay que generalizar este fenómeno a otros periodos de edad.

Si el cachorro tiene de ocho a diez semanas, los castigos imprimen en el sistema nervioso miedo y evitación, muchas veces de forma indeleble.

Ataques coordinados sobre subordinados pueden conducir a heridas e incluso a la muerte de estos últimos (Fuller). Las posiciones de sumisión aparecen igualmente para hacer frente a este peligro.

- 9 -

El síndrome del aislamiento y enriquecimiento precoz

El síndrome del aislamiento

La experiencia ha demostrado que los perros que no han tenido contacto con los humanos antes de la edad de catorce semanas son imposibles de socializar de forma aceptable y permanecen verdaderamente salvajes y esquivos. Reaccionan igual que lobos salvajes en los cuales la presencia del hombre causa terror, huida o ataque (por miedo).

Los científicos han verificado que el contacto con los manipuladores tiene poco efecto con cachorros de menos de cuatro semanas, y que enseguida, **la socialización con los humanos aumenta a un nivel máximo entre las cinco y siete semanas** y va decreciendo progresivamente hasta las catorce semanas. Después de este periodo, no podemos obtener casi nada de

estos perros. Sin embargo, si durante este periodo de cuatro a catorce semanas de edad, dedicamos como media de uno a dos minutos diarios a cada cachorro, éste se familiarizará normalmente con el hombre.

Los cachorros aislados de contactos sociales con el hombre y otros animales presentan un síndrome caracterizado por una extrema reducción de la actividad general y de la búsqueda de estos mismos contactos. Estos cachorros permanecen inmaduros y/o antisociales y desarrollan comportamientos anormales y movimientos estereotipados. El perro tiembla, corre tras su cola, gruñe, evita a la gente y a los animales, es cobarde y agresivo por miedo, muestra deficiencias en el aprendizaje y reacciones lentas a los nuevos estímulos. La presencia de movimientos estereotipados y la ausencia de comunicación permiten aproximar este síndrome del autismo en el niño.

Los movimientos estereotipados (giros, balancearse de un pie al otro, etc.) se desarrollan en los animales privados de cariño y de estímulos (como en el caso de numerosos animales de zoo, animales hospitalizados, etc.) y proporcionan al individuo una fuente de estimulaciones que disminuyen su ansiedad. Si el medio se complica con interacciones sociales más numerosas, los movimientos estereotipados se realizan más frecuentemente y pueden instaurarse en el sistema nervioso como un ritual indeleble.

El cachorro aislado muestra también una sensibilidad al dolor fuertemente disminuida y, reagrupado con sus congéneres, puede atacar y recidivar constantemente a pesar de las severas heridas que los otros le infieren. Roza la psicopatía.

El aislamiento transitorio entre las siete y diez semanas de edad produce una depresión con lloros, letargia y anorexia hasta el agotamiento "marasmo" (marasmo es un debilitamiento del organismo más por privación de afecto que por falta de alimentos). Este periodo de miedo es comparable a aquel que encontramos en el niño entre los seis y diez meses de edad (Fox).

Los niños separados de sus padres entre los seis meses y los tres años tienen una percepción social alterada y se convierten en niños "sin amor", sin lazos afectivos con nadie. Jóvenes cachorros aislados en la perrera o en cuarentena desarrollan problemas similares una vez adultos, exteriorizando agresividad contra la gente u objetos inanimados (crisis de rabia). Tales perros pueden atacar sin discriminación y sin intentar resolver los conflictos por las posturas clásicas de amenaza y de sumisión.

De todas las experiencias desagradables durante la juventud, la negligencia es ciertamente la más grave y provoca la mayoría de los problemas.

El enriquecimiento precoz

Ciertos perros están sujetos a problemas psíquicos y a enfermedades psicosomáticas diversas mientras que otros muestran una mayor resistencia y se adaptan fácilmente a situaciones diferentes. Esto parece deberse a una tipología variable del sistema nervioso, algunos más débiles psíquicamente, otros más fuertes y más equilibrados. A este nivel actúan factores físicos, genéticos, endocrinos y una experiencia precoz. Ciertos perros, en relación a factores innatos y adquiridos, son más vulnerables a anomalías del comportamiento. Estos últimos no son más que la expresión mal adaptada de un sistema nervioso débil y desequilibrado.

Cuando los cachorros recién nacidos son expuestos a estimulaciones auditivas, visuales y táctiles entre las tres y las catorce semanas de edad, son visibles diferencias importantes entre los cachorros sometidos a este trato preferente y aquellos que no lo han sido. Estas diferencias se dan en el comportamiento y en el físico y suponen neuronas vestibulares más amplias, niveles hormonales más altos, una coordinación muscular superior, mejores capacidades intelectuales, menos impresionabilidad ante situaciones nuevas, un E.E.G. (electroencefalograma) que llega antes a la madurez, etc.

Estimulaciones variadas y progresivas en fase de socialización engendran animales física y psíquicamente superiores, a veces más agresivos.

Los criadores, con cachorros de esta edad, deben realizar la socialización de éstos de forma estable para ofrecer a los futuros propietarios cachorros sanos, equilibrados y con un sistema nervioso reforzado.

Los cachorros deben ser manipulados todos los días (o al menos cada dos días), pesados, empujados suavemente de adelante a atrás y lateralmente (desarrollo del sentido del equilibrio y refuerzo de las neuronas vestibulares), puestos de espaldas, acariciados y frotados (la piel debe ser pinzada ligeramente).

Introduzca progresivamente una variedad de estímulos auditivos de intensidad y tonalidad variables: radio, palmadas, chasquidos, bocinas, diferentes voces, aspirador, ruidos de tormenta, disparos, etc.

Aumente las estimulaciones visuales colocando un espejo en el nido; si utiliza una lámpara para calentar el nido, aproveche para utilizarla como estímulo visual.

Fomente el desarrollo locomotor colocando en el nido primero una alfombrilla, suficientemente rugosa para permitir el desplazamiento de los recién nacidos (ésta fortalecerá así en los cachorros, por un fenómeno de *imprinting*, la no eliminación en las alfombras, en casa de los futuros propietarios). Coloque en el nido obstáculos progresivamente más difíciles de superar, como montones de periódicos, libros en barricada de altura creciente, animándolos a la solución de problemas cada vez más complejos.

Proporcione a los cachorros juguetes móviles (pelotas de caucho, botes vacíos, etc.) no peligrosos, y difíciles de tragar, y fáciles de sujetar y empujar.

Gradualmente, ponga a los cachorros en contacto con los estímulos de la casa colocándolos en habitaciones diferentes en las cuales la multitud de estímulos permita que se acostumbren a los sonidos, olores, luces y sensaciones táctiles. Déjeles descubrir las escaleras empezando por un simple peldaño bajo su vigilancia.

Cuando el tiempo lo permita, ayúdelos a salir y a penetrar en el jardín, encima de la hierba, enseguida acostúmbrelos a los ruidos de la calle (si los conocen ya por grabaciones, esta etapa será aún más fácil de realizar), al tráfico, a un número creciente de personas y de animales, a los mercados, a las estaciones, etc.

Colóquelos en el coche (estacionado) con su comida y, poco a poco, haga avanzar el automóvil en trayectos cada vez más largos. Procure que soporten la experiencia alegremente.

Haga que conozcan el cepillado, las manipulaciones del morro (la aceptación de las cuales es un signo de sumisión), las uñas, las orejas, etc., otorgando a estas experiencias la máxima suavidad y tranquilidad posibles.

Permita a visitantes de todas las edades, escogidos por su tranquilidad y dulzura, que manipulen a los cachorros bajo su mirada. Organice encuentros con otros animales, de raza, de color y de tamaño diferentes. Ofrezca a sus cachorros contactos con perros, gatos, pájaros... si debe convivir más tarde con éstos en la ciudad. El buen entendimiento de sus perros con los gatos del entorno agradará a sus vecinos.

Realice regularmente los ejercicios de socialización: la elevación y la inversión y coloque a los cachorros en posición de sumisión manteniéndolos de esta forma hasta que éstos permanezcan bien tranquilos.

Hacia las cinco semanas, colóqueles su collar, sólo algunos minutos para empezar, después aumente el tiempo hasta que se acostumbren a llevarlo. ¡Vigílelos! Seguramente se lo rascarán pero pronto lo aceptarán y, para acelerar esta tolerancia, distraiga su atención con juegos o con la comida. Cuando soporten el collar, áteles una cuerda delgada que pronto sustituirá por la correa, que primero dejará colgando, y después la sujetará dejando que sea el cachorro quien dirija hacia donde quiera. Finalmente, anímelo a seguirle con una buena recompensa en forma de comida apetecible y con una buena cantidad de caricias. Haga esto en casa y también en el exterior, después llévelo a los lugares más diversos.

Evite el transporte en barco o en avión y el aislamiento entre las seis y las diez semanas de edad, pues los cachorros son especialmente vulnerables a reacciones de miedo hacia las ocho semanas. Si usted no puede evitarlo, habitúe al cachorro a una jaula, mucho antes del día del transporte. La adaptación a una jaula de grandes dimensiones es algo muy favorable, pues permitirá al futuro propietario educar a su perro bajo vigilancia continua y a dejarlo en su "guarida" cuando no sea posible controlarlo, lo que evitará numerosos problemas a la vida familiar.

El cachorro así socializado y equilibrado por estímulos sensuales progresivos y tareas intelectuales de dificultad creciente, habiendo adquirido un sentido positivo y optimista de la vida y de las relaciones con los demás, será apto para encontrarse situaciones nuevas sin reaccionar de forma extrema, y hará más agradable la vida de todos.

Comportamientos dependientes de la socialización

Conducta alimentaria

"Él comerá cuando tenga hambre..." Esta frase, que oímos a menudo y que nosotros mismos pronunciamos, necesita ciertas explicaciones. Las experiencias con cachorros han demostrado que si únicamente ponemos a disposición del cachorro un tipo muy peculiar de comida, en el destete y durante varios meses, es este alimento el que preferirá durante toda su vida, aun con el riesgo de morir de hambre si le proponemos otra cosa. Los cachorros que, por el contrario, han sido alimentados con una gran variedad de alimentos comen fácilmente de todo más tarde. He aquí pues una recomendación práctica para el aprendizaje en la alimentación de los cachorros.

La obesidad, lo hemos visto, puede reflejar una carencia alimentaria de la madre gestante en sus cachorros, pero también tiene un posible origen en ciertas líneas hereditarias y sobre todo en el ofrecimiento de un exceso de alimentos apetecibles a los cachorros aún no formados. **Esta hipernutrición supone el desarrollo de una superabundancia de células adiposas que convertirán al animal adulto en obeso.**
Hacer adelgazar a estos perros es parecido a hacer adelgazar a un animal normal y conduce a la irritabilidad, la depresión, la inactividad, el adelgazamiento extremo por hambre y a que el sistema nervioso proteja las células adiposas del mismo modo que las células de los órganos nobles y en detrimento de los músculos.

Comportamiento de búsqueda de atención

Debido a la falta de socialización, aparecen numerosos problemas. Si el cachorro permanece con un ser humano y es separado del resto del mundo durante algunas semanas del desarrollo social, resulta una dependencia del cachorro hacia el humano y una incapacidad de crear relaciones positivas con otros individuos, humanos o animales. Este perro es miedoso, huye y puede morder si es acorralado. Modificaciones de su entorno inducen cambios de comportamiento tales como vómitos o excesos alimentarios. Separado de su dueño, desarrollará quizás anorexia nerviosa que podría conducir a un adelgazamiento extremo y a la muerte. Pueden aparecer otros síntomas psicosomáticos como la diarrea, los problemas respiratorios y cardiacos, las lesiones cutáneas. La sensibilidad a las manipulaciones es a menudo remarcable (timidez ante el contacto).

Si a la negligencia se une la indulgencia a los múltiples caprichos del cachorro (o del niño), este último se desarrolla con un comportamiento de búsqueda de atención constante (llora, salta, sigue a sus dueños constantemente, chilla y destroza cuando está solo, hace pipí de sumisión o de rabia, etc.) que se parece a la regresión infantil en el hombre. Este síndrome del "perpetuo cachorro" se acompaña de búsqueda de atención bajo formas más sutiles (como fingidas cojeras, parálisis histéricas, dermatitis por lamido, etc.), incluso masoquistas (destrucción de objetos, lo que supone un castigo pero que este mismo es una forma buscada de atención negativa).

La indulgencia excesiva permite al perro ocupar un papel de dominante en la familia-manada. El perro exterioriza agresividad por hiperprotección de los miembros de su clan e incluso intenta tener relaciones sexuales con los miembros de la familia, cuando simplemente no "echa" al marido (de la cama, y seguidamente de la casa).

Comportamiento sexual

Los perros mal socializados muestran a veces deficiencias sexuales y aberraciones del comportamiento en este campo, buscando acoplarse con humanos u otros animales con los cuales están socializados. Un cachorro adaptado con un humano o con gatos sigue una forma de *imprinting* (como las ocas de Lorenz en el nacimiento) y guarda en el sistema nervioso la representación del compañero social, que seguidamente se convertirá en la pareja sexual. El cachorro que vive únicamente con su madre se socializa con ella y puede, en caso límite, intentar tener relaciones sexuales con su madre y rechazar las otras perras, realizando una especie de complejo de Edipo (Fox).

La elección de un cachorro

¿Cuánto tiempo emplea en la elección de un cachorro? Usted pasea por delante de una tienda de animales y los ojos suplicantes de una pequeña bola peluda le conmueven: lo compra. Esto le ha supuesto cinco minutos en los cuales ha invertido diez o quince años de su vida familiar. Sin duda, ha pagado una suma considerable con un fuerte suplemento por un pedigrí autentificando los buenos orígenes del animal y que posiblemente no verá jamás. ¿Ha controlado las garantías médicas, las vacunas que lleva? ¿Ha llamado simplemente a un veterinario, a criadores para obtener uno u otro consejo? ¿Ha contactado con las agrupaciones de criadores que le habrían dado algunas direcciones útiles?

En unos instantes usted se ha convertido en propietario de un perro. Pero, ¿sabe quién de los dos será el jefe? El cachorro intentará llegar a lo más alto y, si le deja hacer, pronto le hará la vida bastante dura. ¿Quién, piensa, él o usted, paseará al otro con la correa?

Quizás ha escogido la raza, el sexo y la edad del cachorro, y ¡deposita toda su confianza en el criador o el dependiente! Tome su tiempo para escoger a su cachorro, para estudiar su temperamento, su futuro carácter y sus posibilidades de educarlo.

Esta joven había escogido un Groenendael macho de dos meses, magnífica bola de peluche con plena salud. Dos meses más tarde, lo devuelve al comerciante debido a su agresividad y lo intercambia, a fondo perdido, por un Caniche enano. Este último había sido muy mimado, sus peores travesuras habían permanecido impunes, había sido martirizado por el hermano peque-

ño, su carácter rabioso había hecho el resto a los cuatro meses, dominaba a la familia. El fin de esta historia es aún más triste, el Caniche moría a los pocos días de moquillo...

No aventure quince años de su vida en un impulso, en una emoción pasajera. Imagínese con el perro adulto. Un cachorro es siempre conmovedor. Un cachorro de Dogo alemán de cinco semanas se coloca fácilmente dentro de un gran bolsillo, pero imagínese, un año más tarde, con un gigante arrastrándole al extremo de una correa.

De lo que ha leído hasta aquí en este libro, puede deducir los primeros elementos a buscar. **Mire a la madre** de los cachorros e infórmese de su gestación, de sus transportes, de sus angustias (es ella quien los educa antes que cualquier otro y los cachorros se le parecen). Pregunte por la socialización de los cachorros (no va a saber nada de todo esto con un comerciante, le interesa ir a casa del criador) y **observe las perreras.** ¿Cómo se ocupan de los cachorros? ¿Son manipulados todos los días o son simplemente alimentados como gallinas en batería?

Aísle a un cachorro de algunos días en el centro de una superficie llana de medio metro cuadrado y constate sus reacciones. Se pasea por toda la superficie, llamando a su madre (buena reacción en un cachorro extrovertido), permanece en el centro y llora (inhibido) o se arrastra moderadamente (más linfático). Repita este ejercicio a lo largo del día pues, si ha comido, el cachorro tiene tendencia a dormir y, si tiene hambre, a estar inquieto y moverse.

Este test es para que lo realice el criador mejor que el comprador que adquiere ya un cachorro de cinco a catorce semanas (lo mejor es a las seis o siete semanas de edad).

Varios autores han desarrollado tests de selección de cachorros para fines diversos y sobre todo para ayudar al futuro propietario a escoger al perro que mejor convenga para su estilo de vida y su entorno familiar; no conviene sin ninguna duda, colocar un cachorro dominante-agresivo en un ambiente con niños de corta edad, ni escoger un perro sumiso para defender la casa.

El doctor Campbell ha desarrollado un test de selección del comportamiento de los cachorros, muy interesante y fácil de realizar por todo el mundo.

Aproxímese a los cachorros y controle sus reacciones: el cachorro se le aproxima (socialización positiva al hombre) o se aleja (socialización negativa), se precipita hacia todos aquellos que se le acercan y saluda a todo el mundo (hará lo mismo durante toda su vida), o permanece en su rincón, ocupado en sus cosas (independiente).

Aíslese con un cachorro cada vez, en un entorno nuevo para él (esto necesita un mínimo de colaboración por parte del criador) y realice los cinco tests siguientes:

1. La atracción social: coloque al cachorro en el centro del área de prueba, suavemente, aléjese de él sin decir nada, agáchese, y palmee para llamar al cachorro. Fíjese en la tabla: el cachorro viene hacia usted con la cola alta o baja, o no viene, da la pata, salta sobre usted o intenta mordisquearle los dedos; todos estos comportamientos pueden mostrar sus tendencias hacia la agresividad, la sumisión o la independencia.

Si el cachorro se aleja, cola baja, apariencia asustada, antes de llegar a la conclusión de que es independiente, pregúntese si la socialización primaria al hombre ha sido realizada convenientemente. Por otra parte, realice estos tests usted mismo: ¡es con usted con quien debe estar socializado y no con el criador!

2. Necesidad de seguir: el cachorro está cerca de usted; levántese y aléjese andando de forma normal y controlando de reojo al animal. ¿Le sigue, cola alta o baja, corre entre sus pies e intenta morderlos, o bien permanece quieto en su rincón?

3. Dominancia mediante inmovilización: agáchese y haga echarse al cachorro, póngalo de costado y en posición de sumisión (ver página 24: la "pronación" según Vollmer). Manténgalo en esta posición durante unos treinta segundos. El cachorro se defiende ferozmente, grita, se debate, muerde o bien se tranquiliza rápidamente y le lame las manos. Estos comportamientos indican la aceptación o no de su autoridad así como las tendencias reflejas del animal: reflejos activos de defensa (A.D.R. o agresivo) o reflejos pasivos de defensa (P.D.R. o cobarde).

te, le salta encima, estirando sus patas anteriores, gruñendo o mordiendo. Haga el test de la página siguiente durante unos treinta segundos para determinar una buena identificación del comportamiento.

5. Dominancia por elevación: coloque sus manos entrecruzadas bajo el tórax del cachorro y levántelo del suelo de forma que sus patas no toquen tierra. Téngalo así treinta segundos; el cachorro no tiene ningún control y debe fiarse completamente de usted, aceptar su dominancia. Acepta o no esta situación. Deposítelo en el suelo y

4. Dominancia social: agáchese y frote ligeramente al cachorro en lo alto del cráneo, descendiendo a lo largo de la columna vertebral por encima de la espalda. Acaríamele a contrapelo en la misma región. El perro dominante pone sus patas anteriores sobre la nuca del subordinado; usted hace lo mismo manipulando esta región. Si el cachorro acepta, es que reconoce su autoridad, sino se resis-

anote en la casilla el resultado obtenido.

Haga las mismas pruebas para cada cachorro. Tome el tiempo necesario para controlar las tendencias de comportamiento antes de escoger al cachorro. Sume los resultados. ¿Qué indicaciones ha obtenido?

Dos dd (o más) con unas d: cachorro dominante y agresivo (A.D.R.). Debe tratarse con suavi-

dad, sin jamás pegarle, lo que aumentaría la agresividad, sin incordiarlo (los niños pequeños están pues desaconsejados). Este cachorro, llevado de forma tranquila (mano de acero en guante de seda) pero con firmeza se convertirá en un perro adulto capaz de reaccionar de forma defensiva, en caso de peligro. Un perro que no puede estar en cualquier mano.

Tres d (o más): cachorro dominante. Si es consentido, que le dejamos que haga a su antojo, se convertirá en un animal imposible. Este cachorro debe ser manipulado y criado con suavidad pero con firmeza. Los niños están desaconsejados.

Tres s (o más): un perro relativamente equilibrado, pudiendo adaptarse a cualquier lugar, ni demasiado agresivo ni demasiado sumiso, poco susceptible de padecer alteraciones psicológicas. Un perro sin problemas.

Dos ss (o más) con una o más i: cachorro muy sumiso que precisa de mucha ternura, y muy sensible a las reprimendas: demasiado castigado, orinará por sumisión. Hay que darle confianza en sí mismo. Podría morder por miedo si es acorralado sin posibilidad de huir. Sensible y dulce.

Dos i (o más) (sobre todo en el apartado dominancia social): cachorro difícil de criar, sólo hace lo que quiere; sobre todo si él es d o dd: puede atacar y morder cuando es castigado; convertirse en extremadamente feroz si es s o ss. Evitarlo en caso de tener niños.

La aparición de un resultado mixto, supone la necesidad de repetir

COMPORTAMIENTO DEL CACHORRO

CACHORROS: A B C D E F G H I J

1 ATRACCIÓN SOCIAL
   viene directamente, cola levantada, salta, muerde
   viene directamente, cola alta, da la pata
   viene directamente, cola baja
   viene dudando, cola baja
   no viene

	A	B	C	D	E	F	G	H	I	J
dd										
d										
s										
ss										
i										

2 GANAS DE SEGUIR
   sigue directamente, cola alta, entre sus pies, muerde
   sigue directamente, cola alta, entre sus pies
   sigue directamente, cola baja
   sigue, dudando, cola baja
   no sigue, va por su lado

	A	B	C	D	E	F	G	H	I	J
dd										
d										
s										
ss										
i										

3 DOMINANCIA MEDIANTE INMOVILIZACIÓN (30 s)
   se debate ferozmente, moviendo la cola, muerde
   se debate ferozmente, moviendo la cola
   se debate, después se tranquiliza
   no se debate, lame las manos

	A	B	C	D	E	F	G	H	I	J
dd										
d										
s										
ss										
i										

4 DOMINANCIA SOCIAL (30 s)
   salta, da la pata, muerde, gruñe
   salta, da la pata
   se revuelve, lame las manos
   se pone panza arriba, lame las manos
   se va y se mantiene a distancia

	A	B	C	D	E	F	G	H	I	J
dd										
d										
s										
ss										
i										

5 DOMINANCIA POR ELEVACIÓN (30 s)
   se debate ferozmente, muerde, gruñe
   se debate ferozmente
   se debate, se calma, lame
   no se debate, lame las manos

	A	B	C	D	E	F	G	H	I	J
dd										
d										
s										
ss										
i										

TOTALES:

	A	B	C	D	E	F	G	H	I	J
dd										
d										
s										
ss										
i										

Observación: dd dominante agresivo
                d   dominante
                s   sumiso equilibrado
                ss sumiso exagerado
                i   independiente

el test. Si este comportamiento se mantiene el cachorro peligra de encontrarse dentro de situaciones cambiantes con un comportamiento imprevisible.

Pero no se limite sólo a este test. Si es posible, póngalo en contacto con perros adultos (equilibrados): si busca el contacto y adopta una postura de sumisión, puede detener su búsqueda, este cachorro es suficientemente equilibrado. Si rechaza cualquier tipo de autoridad exterior, prepárese para problemas de dominancia. Si evita cualquier contacto, sospeche de problemas de miedo y timidez.

Deje los cachorros, solos, en un entorno nuevo para ellos y observe sus reacciones: el independiente husmea a derecha e izquierda, el inhibido (tímido) permanece en su rincón sin moverse, eventualmente temblando, el sumiso busca una presencia que le ofrezca seguridad, sus hermanos y hermanas o el criador que se acerca. ¿Cuáles son sus reacciones ante las palmadas o las detonaciones? ¿Miedo y huida o interés y ataque, ausencia letárgica de reacción o desinterés independiente?

Hágale encontrar gatos. Ciertos criadores que son conscientes de los problemas que puede suponer la caza a los gatos, crían juntos a perros y gatos para una adaptación mutua.

Estas pruebas no darán una respuesta definitiva pero facilitan mucho la selección de un cachorro que no será ni excesivamente festivo ni antisocial y por tanto, la educación será más agradable y entusiasta.

La educación del perro no es cosa fácil y hay que poner toda la suerte de nuestro lado.

Por tanto, aconsejamos el cachorro equilibrado, ni demasiado sumiso ni sobre todo, dominante, no demasiado independiente, pero tampoco tímido ni linfático, socializado al máximo y no agresivo. Este cachorro acogerá a los amigos sin excesos, manifestándole su preferencia.

Algunos, desean un perro que muerda, duro, para adiestrarlo, y buscarán al cachorro independiente y que llega hasta el final, dominante y luchador, y le enseñarán el arte y el gusto del poder y la pelea. ¡Por Dios que ellos sean los primeros mordidos!

Si uno de los elementos principales de elección de un cachorro es la determinación del carácter, no hay que olvidar la selección de la raza, del sexo, del tamaño, de la edad, etc. Numerosas obras hablan de las razas de perros y a menudo con un entusiasmo desbordante, como si cada raza fuera la mejor y la más capacitada para cualquiera de los aficionados a los perros. Y sin embargo, estudios científicos han precisado que existe la presencia de una herencia de temperamentos en linajes o razas: excitabilidad, nerviosismo, tenacidad, sensibilidad, agresividad, etc. Es necesario informarse con precisión en criaderos serios, adiestradores competentes y veterinarios especialistas en comportamiento canino para no caer en errores de selección.

En la elección del sexo, sólo hay una alternativa: macho o hembra. Estadísticamente, los machos dan más problemas de comportamiento y más serios que las hembras. En los machos, encontramos sobre todo agresividad, peleas, marcaje urinario, nerviosismo, desobediencia, vagabundeo, conflictos de jerarquía... mientras que las hembras son más tímidas y presentan ante todo ansiedad y dificultades de masticación.

Podríamos decir, limitándonos a una imagen simplista, que los machos son más agresivos y las hembras más dulces. La perra entra mejor que el macho en la definición de animal de compañía ambicioso, social, sociable y dulce.

Lo que desagrada a los aficionados a los perros, son los "celos" (periodos de estro), las pérdidas sanguíneas, la atracción de los machos que se reúnen delante de la puerta de casa etc. A esta pregunta, hay numerosas respuestas (y preferiblemente quirúrgicas, como es la esterilización). Y desde luego, si tenemos pequeñas molestias con las perras dos veces al año, no olvidemos que los machos pueden traer problemas a lo largo de todo el año, ya que su receptividad sexual no es cíclica sino permanente (también aquí la esterilización es una solución a recordar).

La elección del tamaño no debe de ser tomada a la ligera: un perro de pequeño tamaño, mal educado, es "ridículo", pero en un perro grande, esto puede ser muy peligroso.

- 12 -

La introducción de un cachorro

La introducción es un elemento de la vida del cachorro en el cual se piensa poco y que puede contribuir a provocar una tensión social y problemas de comportamiento. Ciertos perros no se educan jamás porque las primeras horas de su llegada a casa han transcurrido en una soledad insoportable, en una oscuridad asustadiza, porque un viaje interminable en coche los ha traumatizado...

La edad ideal, si usted mismo quiere formar y educar al cachorro, es entre las cinco y siete semanas, edad que, como hemos visto, corresponde al mínimo de evitación y al máximo de búsqueda de contacto. Si prefiere un perro completamente educado, cójalo entre los tres y cinco meses de un criador competente y en el cual pueda confiar.

Planifique su llegada para poder disponer de tiempo libre, como en un fin de semana o en vacaciones. Tenga a las visitas aparte, para permitir al cachorro adaptarse a su nueva familia y a su nuevo entorno antes de verse enfrentado al resto del mundo.

Estos cambios bruscos: pasar de una vida con mamá, hermanos y hermanas a un destete brutal, un entorno extraño, la pérdida de los parientes próximos y compañeros de juego, el aislamiento nocturno, etc., producen un estrés enorme en el cachorro, lo que se manifiesta a menudo por una pérdida del apetito (anorexia) durante algunas horas. Una buena indicación de su adaptación es la recuperación de este apetito. Atención, pues este síntoma es frecuente al principio de una enfermedad y si se prolonga más de veinticuatro horas, consulte a su veterinario.

¿Imagina usted estrés más importante que este cambio de ambiente? ¡Cómo sería suavizado si el cachorro ya le conociera por sus visitas al criador! ¡Cómo sería atenuado si el cachorro encontrara uno u otro de sus juguetes, su manta, su olor y el de su madre y sus amigos de juego! ¡Piense en todo ello!

Si ya tiene un perro mayor en casa, el asunto puede complicarse un poco. El residente puede mostrarse agresivo o descontento, puede estar deprimido o buscar su atención mediante un comportamiento particular (alterando sus conductas de aseo o comiendo más, etc.) o por una serie de síntomas psicosomáticos que van de problemas de piel a la parálisis histérica de los miembros posteriores. Puede mostrar cólera y celos, depresión y tristeza, etc.

Para su mutua adaptación, hay, según Vollmer, una ley y tres condiciones necesarias a cumplir. Estas últimas son:

- el buen estado de salud de los dos perros;
- su buena socialización y equilibrio psíquico, y
- la inteligencia del propietario que debe comprender lo que va a suceder.

La ley es:
- la ausencia reflexiva y relativa de intervención del dueño.

¡Vamos a ver por qué!

Ante todo, sepa que cuanto más joven sea el cachorro más fácilmente será adoptado por el residente.

Y esta adopción se hará más fácilmente si dichos animales se conocen de antemano. Fox también sugiere permitir a los dos perros conocerse en un terreno neutral y favorecer al perro mayor de forma que afirme su dominancia.

Cuando introduzca al cachorro en su casa, intente colocar a su primer perro (el perro residente) en casa de unos amigos durante unas diez horas (Vollmer). En efecto,

- podrá así dedicarse al cachorro y a sus actividades;
- este último podrá aclimatarse a su nuevo entorno físico sin sufrir la presión de un miembro de su especie, y
- el residente mostrará menos reacciones de defensa territorial (agresividad, marcaje territorial...) después de una ausencia de algunas horas.

Una vez los animales estén juntos, *vigile pero sin intervenir,* en el límite de lo posible. Si los perros están destinados a vivir juntos, es necesario que sus relaciones sociales sean regidas por una relación jerárquica. Esto se establece por la interacción física de los animales. Generalmente el residente amenaza, gruñe y atrapa al recién llegado por la piel del pescuezo, aplastándolo contra el suelo. El cachorro acepta la dominancia de su congénere y adopta una postura de sumisión (socialización secundaria). Esto sólo es evidentemente posible si los animales han tenido una socialización primaria equilibrada y si no son asesinos psicópatas. El residente puede incluso morder e infligir un cierto dolor al cachorro (un perro adulto no ataca normalmente a los cachorros). No aproveche para apartarlo y consolar al pequeño pues el proceso de establecer una jerarquía se verá perturbado.

Favorezca constantemente al perro residente. Sólo el dominante tiene derecho a: las primeras caricias, que le coloquen el collar y la correa el primero, ser sacado a pasear primero, alimentado en primer lugar, subido al coche antes; le debemos saludar primero y es con quien debemos jugar.

Alimente a los perros separados pero en el mismo momento y no permita que se reúnan antes de que los cuencos estén vacíos; la ansiedad y la competición entre los perros los empujan a comer más deprisa e incluso a robar la comida del compañero.

Durante los primeros días, y respetando la prioridad del dominante, concéntrese en el entrenamiento del cachorro en casa y en los ejercicios de socialización. Sepa siempre dónde se encuentra el cachorro y lo que hace; las primeras cuarenta y ocho horas son las que dan al cachorro las impresiones que retendrá en su memoria, optimistas o pesimistas, de amor o de rechazo.

¡Lea las recomendaciones que encontrará a continuación!

GUÍA PARA LA INTRODUCCIÓN DE UN CACHORRO

1. Coloque a su perro residente en casa de amigos durante un periodo de diez horas.
2. Si usted trae al cachorro en coche, manténgalo a su lado o sobre sus rodillas. Si se marea, permanezca emocionalmente estable (indiferente) y limpie lo ensuciado.
3. Llegados a casa, lleve al cachorro al lugar escogido para las eliminaciones.
4. A continuación déle acceso al resto de la casa.
5. Déle de comer a las mismas horas que el criador, la misma comida (durante algunos días). Coloque el cuenco cerca de la puerta de salida hacia el lugar de las eliminaciones.
6. Cuando el cachorro se haya familiarizado un poco con su nuevo entorno, introduzca al perro residente.
7. Vigile a los dos perros e intervenga lo menos posible. Deje que se establezca la jerarquía.
8. Favorezca siempre al dominante y mantenga su posición.

- 13 -
Por fin en casa

He aquí al cachorro introducido en su nuevo universo. El criador ha hecho su trabajo (se espera), a usted le corresponde continuar socializando al cachorro y enseñarle a comportarse correctamente y respetar el entorno (artificial) que le procure. Deberá dedicar a ello algunos días, algunas semanas y se beneficiará durante el resto de la vida del perro.

El aislamiento

En la naturaleza, los jóvenes, aislados de la manada, lloran, ladran y aúllan (vocalizaciones de desamparo). Pegados a la maleza, excavarán y morderán todo lo que les estorbe para reencontrar al clan. Este comportamiento aumenta las posibilidades de supervivencia. Así un cachorro aislado, ansioso o abu-rrido, tendrá tendencia a destruir, mordisquear, rascar, aullar, eliminar y convertirse en sucio. No por venganza (al menos no en esta edad), si no, más bien para desviar la tensión emocional debida al estrés de la soledad.

Para evitar estos problemas y para reducir las posibilidades de enseñarle un comportamiento antisocial, es bueno habituar al cachorro a una *jaula* o a un local donde él no puede destrozar nada (interior) o a una *perrera* (exterior). Algunos encuentran este procedimiento cruel y lo sería encerrar al cachorro durante diez horas. Una caja sólo puede ser utilizada durante unas dos o tres horas con cachorros de pocas semanas. Para más tiempo de aislamiento, es necesario trasladar al animal a un espacio más grande con un lugar para eliminar. Debe programar sus ausencias para aumentar de tres a seis u ocho horas, después de varias semanas.

Escoja una jaula adecuada a la talla del perro adulto y acostúmbrelo. Aproxime su plato de comida a la puerta de la jaula y, día tras día, introdúzcalo en el interior. Cierre la puerta mientras come. Al final de la comida, querrá salir, ladrará y rascará. Adopte un tono fuerte para desanimarlo. Cuando esté tranquilo, con voz dulce, felicítelo y poco después, déjelo salir (no lo deje salir jamás mientras esté nervioso) sin apresurarse para no provocar que el animal se precipite en abandonar la jaula. Continúe entonces fuera de las horas de la comida aumentando el tiempo de aislamiento pero no lo deje solo en casa mientras no permanezca una hora tranquilo. Recompénselo cada vez que entre en la jaula y déle sus juguetes para roer.

Si está bien habituado y si la jaula es plegable, llévesela a todas partes: en coche, al hotel; el perro se encontrará a gusto y se sentirá en todas partes como en casa.

El *aislamiento nocturno* le causará algunas noches malas (dos o tres en general) debido a los ladridos del cachorro, pero favorecerá la socialización de toda la familia. Solo durante la noche, reencontrará con gran avidez a las personas durante el día. Prevenga a los vecinos para no tener problemas con ellos.

Si no soporta estos aullidos o si prefiere que el cachorro no pase por esta etapa traumática, lo meterá en su habitación (pero no en la cama). Así le será más fácil determinar si el cachorro debe hacer sus necesidades y acelerará el aprendizaje de su aseo. El cachorro, ante su presencia, estará también más tranquilo y llorará menos. Más tarde, por aproximaciones sucesivas, pondrá su cesto más cerca de la puerta, en el pasillo, etc.

No lo deje instalarse en su cama. Algunos la toman en posesión y más tarde (hacia los dos años) llegados a adultos, empujan un poco a su propietario e incluso lo echan de la cama, gruñéndole si intenta recuperar su lugar.

Que usted habitúe a su cachorro a una jaula, a una perrera, a un local determinado, o que usted no lo haga, que lo deje solo durante la noche, o no, su primera preocupación continuará siendo de todas formas, el aprendizaje en lo que se refiere a sus eliminaciones.

La limpieza

Esta exigencia será mayor cuando el perro es adquirido por el Señor e impuesto a la Señora. Su talento como educador será sometido a una ruda prueba. En efecto la mayor parte de los perros aprenden rápidamente donde eliminar, a pesar de los esfuerzos de su dueño, simplemente porque se trata de una necesidad innata.

Muy rápidamente durante el periodo crítico de socialización, los cachorros aprenden a orinar y a defecar solos, sin la estimulación perineal refleja, y desde las ochos semanas de edad eliminan en los lugares privilegiados y seleccionados, a buena distancia de la zona de descanso y del área de alimentación.

Antes de ir más lejos, es necesario conocer cuál es la finalidad de la eliminación. Mucha gente se sorprende por esta pregunta. Las eliminaciones tienen un doble objetivo: no sólo evacuar los desechos del organismo sino igualmente servir de método de comunicación social, un poco como una tarjeta de visita. Ciertas sustancias contenidas en las heces y en la orina, llamadas feromonas*, son detectadas por el perro e informan sobre la edad, el sexo, el humor, el momento... donde han sido eliminadas. Y los lugares donde son depositados estos olores (estos perfumes) son un estimulante para responder a estas cuestiones olfativas y eliminar.

La tendencia a mantener el nido limpio es innata. El cachorro no se ensuciará a menos que su vejiga sea débil o esté irritada (incontinencia y cistitis). El animal aprende a retenerse y a controlar los esfínteres del recto y de la vejiga de forma progresiva. Pero si deja la cesta limpia, no es evidente para él que el salón y las habitaciones no sean lugares ideales para eliminar. Conviene pues limitar al principio el espacio dado al cachorro para que lo asimile como su nido y aumentar gradualmente este espacio, de tal forma que rápidamente la casa entera sea considerada como su cesto y mantenida sin ensuciar.

Para mantener la casa limpia, es necesario sacar al cachorro a menudo. Escoja un lugar de eliminación apropiado, no demasiado lejos de la casa, en el exterior si es posible. Mantenga este lugar limpio (demasiadas heces no es saludable) pues en caso contrario escogerá otro lugar o tendrá tendencia a la coprofagia (a ingerir las heces). Con respecto a los olores, los suyos, que encontrará en este lugar, desencadenarán la necesidad de eliminar de nuevo y de conservar siempre el mismo lugar de aseo. A los perros les gusta mantener los rituales.

Sáquelo a menudo, siempre al mismo lugar. Si hace algo, felicítelo con voz dulce para no molestarlo (y pronuncie la palabra "pipí" o cualquier otra palabra de acuerdo con las circunstancias, siempre la misma; un día lo verá hacerlo a la orden, lo que puede ser muy práctico antes de un viaje...). Después, ofrézcale alguna recompensa (comida, caricias) para enseñarle que era precisamente aquello lo que esperaba de él. Sáquelo temprano por la mañana, tarde por la noche, después de comer, después de haber bebido, después de la actividad y después del reposo, después

---

*Hormona que es excretada al exterior del cuerpo y que induce un comportamiento específico como por ejemplo, el marcaje del territorio.

de haber estado royendo su hueso y cuando empieza a deambular, respira rápidamente o actúa nerviosamente. No lo pierda de vista durante las primeras horas transcurridas en casa y en el momento en que se prepare para depositar su "tarjeta de visita" llévelo rápidamente al lugar escogido para las eliminaciones. De esta manera podrá educar a su cachorro para que sea limpio en cuarenta y ocho horas.

Sáquelo siempre por la misma puerta. No lo saque para pasear o jugar hasta que no haya eliminado, sino pedirá constantemente salir por cualquier razón. No le anime a ladrar para pedir salir: el ladrido no es fiable y puede conducir a otras actitudes indeseables. El cachorro que deba salir se colocará delante de la puerta (siempre la misma, conserve este ritual) y gemirá rascando con la pata anterior. Favorezca este comportamiento recompensándolo. Sáquelo por la noche una o dos veces durante algunas semanas. No pida al cachorro que se retenga durante más de seis horas seguidas.

Si no puede sacar al cachorro con cierta frecuencia, puede enseñarle a hacer sus necesidades encima de periódicos o en una caja baja y pequeña. El montón de periódicos debe estar situado a cierta distancia del lugar donde duerme y donde come. Enséñele a eliminar encima de los periódicos de la misma forma como lo habría hecho en el exterior. Si cambia los periódicos, los de abajo deben ser colocados encima de los nuevos para recordar, por el olor de las feromonas, la reiteración de estas funciones. No le permita el acceso a toda la casa hasta que no elimine sin error sobre los periódicos y hágalo progresivamente.

Los periódicos pueden ser desplazados progresivamente hacia la puerta y colocados en el exterior para acostumbrar al perro a eliminar fuera, por aproximaciones sucesivas. Esta forma de actuar le permite quizá dormir durante la noche pero retarda el aprendizaje.

Evacuar encima de periódicos no es una etapa intermedia indispensable y puede conducir a problemas por las razones siguientes. Durante el periodo de socialización, el cachorro desarrolla preferencias para sustratos y lugares de eliminación y peligra de mantenerlos durante toda su vida (imprinting). Estos perros, aunque sean paseados por el exterior, depositarán sus heces encima de periódicos, aunque para ello tengan que retenerse durante varias horas. Por otra parte, las feromonas que impregnan los periódicos se distribuyen por el suelo y las paredes e "invitan" al cachorro a empezar de nuevo en los mismos lugares.

Uno de los mitos más frecuentes con respecto al aseo del cachorro es creer que es necesario a cualquier precio castigar los errores del animal. "Cuando se ensucia, doctor, le restriego el hocico dentro y le doy un buen golpe con el periódico." Este cachorro de dos o tres meses se corresponde con un niño de aproximadamente tres años. Entonces cuando su hijo se olvida, ¿le dice al pediatra: "cuando se ensucia, doctor, le meto la nariz dentro y le propino un buen bofetón?". El antropomorfismo le permite juzgarlo usted mismo.

El castigo hace muy poco para acelerar el aprendizaje en el cachorro salvo cuando es realizado en el momento mismo del acto y a ser posible de forma indirecta. Cuando es eficaz, es porque crea un estado de ansiedad condicionada, relacionada al hecho de ensuciar la casa (Hart).

Si utiliza este método de educación y ve al cachorro colocarse en posición, eleve la voz inmediatamente para sobresaltarle y, si es ineficaz, láncele cerca un zapato, un libro o alguna cosa ruidosa y que no se rompa. Llévelo enseguida al lugar escogido para las eliminaciones. Cójalo en flagrante delito e indíquele el buen comportamiento. Cuando se ejecute, no olvide de recompensarlo sin insistir demasiado.

Guarde en un rincón de su memoria las palabras del doctor Tanzer: demasiado insistir en el castigo y en la recompensa puede enseñar al perro lo que no es necesario hacer. Los perros no son verdaderamente masoquistas pero, necesitan atención, y aún más si están excesivamente consentidos. (Son verdaderamente muy astutos y muy comediantes.) No conceda demasiada importancia a sucesos ordinarios.

Regularice las comidas, lo que regulariza el intestino y le permite anticipar los momentos de defecación. Déle al cachorro tiempo suficiente para comer (unos veinte minutos) y siempre a horas fijas (y tan a menudo como lo necesite en función de su edad) sin modificar demasiado el régimen. Sáquelo después de las comidas y espere a que elimine.

Utilice el mismo horario durante la semana y durante los fines de semana. Cómo quiere regularizar un sistema tan delicado como el que controla la vejiga y el intestino si cambia constantemente sus horarios nutricionales y de actividad.

Suprima todas las "chucherías" y no dé nada de comer entre las comidas. Si las heces son líquidas, reduzca la cantidad de comida en un 10%, si el perro está estreñido, aumente la ración en un 10%.

En caso de ausencia prolongada (durante la semana), suprima el agua y la comida al perro. En casos extremos deje beber al perro sólo durante las comidas.

Durante la noche o durante sus ausencias, confine al cachorro en un lugar donde no pueda destruir nada (jaula, perrera, patio, etc.) pero después de que haya eliminado y para periodos de tiempo no superiores a las tres horas (al principio).

Cuando haya habido un pequeño accidente, debe sacar el olor de la zona (enmascarar las feromonas) para impedir al cachorro reutilizar los mismos lugares. Lave e imprég-nelo con un olor nuevo y desagra-dable para el perro; el alcohol far-macéutico, el desodorante o el ácido acético diluido pueden servir perfectamente.

GUÍA PARA QUE SEA LIMPIO

1. Aliméntelo a horas fijas, sin dar nada entre horas.
2. Establezca un lugar (uno sólo) para las eliminaciones.
3. Lleve allí al perro al despertarse, después de las comidas, después de beber, después de la excitación y el juego, cuando haya estado mordiendo su hueso o sus juguetes, cuando empiece a mostrarse nervioso y a deambular.
4. Recompense y felicite al perro cuando haya eliminado en el lugar correcto y en el momento oportuno.
5. En caso de "accidente": no reaccione de forma emocional; limpie la zona en ausencia del perro; no lo castigue; no le conceda demasiada importancia.
6. En caso de que ensucie de forma voluntaria (no juzgue demasiado rápido de que es así), límpielo en ausencia del perro, imprégnelo de un nuevo olor (desodorante, alcohol, éter, etc.). Coja al perro en el lugar del delito y hágaselo oler. Si huye de la zona felicítelo y acaríelo. Si esto se demuestra insuficiente, coja un algodón impregnado de este olor y restríegueselo por la nariz y la boca, o láncele un chorro sobre la nariz con el desodorante; si huye acaríelo.
7. En las horas correspondientes a sus ausencias durante la semana, enseñe al perro a contenerse, distrayéndole en los momentos en que parezca tenga necesidad de orinar o defecar. No juegue al "portero" durante el fin de semana a las horas en las cuales estará ausente durante la semana.
8. Retire la comida y el agua durante estas mismas horas si el perro no llega a retenerse suficientemente. En último caso, deje beber al perro sólo durante las comidas y retire el agua fuera de esta horas.

Antes de todo esto, si ve al perro colocarse en posición, "grúñale", sáquelo al lugar escogido para eliminar, a continuación, limpie cuando el perro no esté presente y desodorice el lugar ensuciado.

Si recidiva de forma excesiva o voluntaria, coja (no lo llame) al perro en el lugar del delito (limpio y sin olor) y colóquele durante algunos segundos un algodón impregnado con la solución que ha utilizado para la zona (alcohol, ácido acético) en la boca, o proyéctele un poco de desodorante (en spray) sobre la nariz. Si huye o se debate, anímele pues es lo que desea (que se aleje de esta zona inapropiada para ensuciar). Acaríciaelo por haberse ido de este lugar que aprenderá a asociar con el olor que le repugna.

Cuando usted haya escogido un lugar, una puerta de paso, un ritual, un horario, un procedimiento, manténgalos no varíe. Su cachorro sólo puede aprender si usted es consecuente con sus actos. Todo cambio en la rutina puede hacerlo retroceder. Reanude con paciencia su entrenamiento como si se tratase de un cachorro recién llegado.

Micción de sumisión

El cachorro recién nacido orina cuando su madre le lame las regiones perineales. Más tarde, a las tres o cuatro semanas de edad, el cachorro asocia su posición agachada, orinando, con el estatus dominante de su madre. Hacer pipí se ha convertido en un símbolo de juventud y de debilidad, de sumisión.

Esta posición se encuentra ante todo en el cachorro sumiso y cobarde ("ss" en el test de Campbell) y no en el dominante ("d" o "dd") (ver página 51). Se trata de un mecanismo reflejo e inconsciente en un cachorro hipersensible respondiendo así a una situación emocional afectuosa (el retorno de los dueños) o dominante (castigos).

Si la micción es debida a la excitación o a la alegría de ver a sus dueños o a otras personas,

- ignore al cachorro en lugar de dedicarle una acogida demasiado calurosa, durante algunos minutos, cada vez en que la incontinencia peligre de aparecer.

Si es debida a una sensibilidad extrema ante la dominancia de los propietarios,

- agáchese para saludar al perro (la posición erguida es dominante);
- acaríciaelo con la mano abierta, palma hacia arriba, en la zona bajo el cuello y en el pecho (las caricias sobre la nuca, la cabeza y la espalda son dominantes);
- no se enfade nunca ante este reflejo involuntario que es la micción por sumisión (el castigo es una forma extrema de dominancia);
- hable con voz suave (una voz fuerte y grave es dominante)·

- evite obligar al cachorro a soportar situaciones donde este "accidente" puede aparecer. Déle confianza en sí mismo (la micción por sumisión es a menudo una falta de confianza en sí mismo) y
- si ocurre de todas formas, permanezca indiferente, aléjese del cachorro: si le sigue, debe interrumpir su micción; felicítele por haberla detenido.

Esta reacción emocional puede darse en caso de miedo y acompañarse de una emisión de heces y de vaciamiento de las glándulas anales. Los veterinarios están acostumbrados a estas situaciones cuando un perro particularmente miedoso es subido encima de la mesa de examen (la elevación, deja al perro sin apoyo, colocándolo en una posición de sumisión total ante el manipulador).

- 14 -

La educación social

Los primeros días del cachorro en casa transcurren bajo una vigilancia constante para evitar que ensucie. Estos días y los que siguen serán aprovechados para evitar ciertos comportamientos que, a la larga, serían perjudiciales para los propietarios y a veces para su cartera.

La mendicidad

Alimente al perro aparte y no le permita que mendigue durante sus comidas. No ceda jamás. Va a llorar, gimotear, frotarse contra usted, empujar su brazo con el morro pero nunca ceda. Comprenderá rápidamente que con usted esto no vale la pena intentarlo (y probará suerte con otros). Prevenga a sus amigos para que no comprometan el método de educación de su perro. Si alguien cede y le da, "para tener paz" o "sólo una vez", refuerza el comportamiento de forma extrema pues se trata típicamente de una situación de recompensa intermitente, muy difícil de eliminar una vez adquirida. Prevenir es mucho más fácil que curar, no dejaremos jamás de repetirlo.

Un perro que no pide en la mesa puede ser llevado al restaurante, a casa de amigos, su tranquilidad le supondrá grandes elogios. Un perro que mendiga irrita y no puede imponerlo a nadie. Decídase sobre su comportamiento antes de tener un perro, después será quizás demasiado tarde.

Si quiere soltar a su perro en la playa, en el bosque, observe atentamente la gente de alrededor: si algunas personas comen ¡atención!, el cachorro también las verá e irá hacia ellas; le darán comida, esté seguro. La educación del animal

estará comprometida (y también usted).

La mendicidad es difícil de evitar. Quizás tenga interés en aprender que la mendicidad es desagradable administrando al perro una descarga (collar eléctrico) cuando pida o dándole un alimento con un sabor desagradable bajo un aspecto exterior apetecible (trozo de pan lleno de mostaza, etc., vea lo que detesta su perro: salado, avinagrado, amargo, etc.). Si cada vez que pide supone una situación desagradable, no repetirá de forma voluntaria este comportamiento.

La técnica mejor, y la más natural, **es** sin embargo **no ceder jamás.** Si su perro ladra durante las comidas (creándole indigestiones), póngase algodones en los oídos. El comportamiento no recompensado desaparecerá, en un margen de tiempo variable, en función de la duración que ha tenido desde que se estableció, de la tenacidad del perro y de la suya, de la posición social que ocupa el perro (el subordinado robará y pedirá menos frecuentemente que el dominante) y de la constancia de los propietarios en sus técnicas de educación.

Consiguiendo educarlo a que no pida comida, así como a no recoger los alimentos o desechos del suelo, se asegura evitar intoxicaciones tales como: comida con estricnina (¡que cualquiera puede obtener sin la menor dificultad!), "matarratas", anticongelante, insecticidas, etc., que matan a muchos animales, voluntariamente o no, cada año.

Este tipo de educación preventiva presenta múltiples ventajas y no es nunca demasiado tarde para este aprendizaje.

Establezca una lista de los actos que desea que no realice: mendigar, subir a los sofás, mordisquear los zapatos, deshacer los calcetines, ladrar sin ningún propósito, saltar encima de la gente para saludarla, morder los cables eléctricos, etc. Finja indiferencia o castigue estos actos, pero anime siempre los comportamientos positivos: permanecer tranquilo durante las comidas, dormir en su cesto, roer su hueso, ladrar alguna vez cuando alguien se aproxima a la casa, decir buenos días permaneciendo sobre sus cuatro patas y moviendo el rabo, ocuparse de sus juguetes, etc.

La masticación

Al mismo tiempo que aprende a no ensuciar, el cachorro deberá aprender a respetar los objetos de sus propietarios: juguetes, alfombras, zapatos, objetos de decoración, vestidos, etc. Los perros son máquinas de masticar, la evolución y la selección natural han empujado a los lobos jóvenes a investigar su hábitat a través de la boca (el niño de un año de edad hace lo mismo) para conocer su entorno y buscar nuevas fuentes de alimento. Esta tendencia se conserva en el perro a pesar del exceso de comida a su alcance. El éxito de este tipo de educación para la prevención de problemas debidos a la ingesta o destrucción con la boca, dependerá de la forma en que oriente esta tendencia natural hacia objetos aceptables. Prohibir morder es una teoría, pero masticar un hueso es necesario y preferible a destruir sus vestidos.

A las seis o siete semanas, en socialización primaria, puede establecer en el cachorro una preferencia por los objetos a masticar. ¡Es por tanto una educación precoz a establecer ya en el criador! Si se establece esta preferencia, no tendrá ningún problema durante los periodos críticos de los tres a los cuatro meses de edad (cambio de los dientes de leche) y entre los seis y los doce meses (salida de los molares permanentes), en los cuales la necesidad de morder es más acentuada. Durante el primer año de vida, el perro tiene tendencia a ingerir piedras, madera, arena, etc. (pica), pero también pequeñas pelotas, canicas, agujas e hilo de coser, que, se comprende perfectamente, pueden poner en peligro su vida. Un poco de educación, realizada con suficiente antelación, y una selección del entorno (no dejar objetos peligrosos que pueden ser ingeridos a su alcance) le permitirán franquear este primer año de su perro sin dificultad y sin pérdidas inútiles.

Un error frecuente es dar al cachorro, para que mordisquee, viejos zapatos o calcetines agujereados. Pero el cachorro no sabe distinguir lo viejo de lo nuevo y si aprende que un zapato de cuero es bueno para morderlo, todo lo que sea de cuero y todos los zapatos serán igualmente buenos para masticarlos (generalización).

Seleccione algunos (tres o cuatro) objetos para darle a morder, por ejemplo un hueso de nailon duro o un juguete de caucho duro o una articulación de ternera (rodilla o corvejón). Vigile que el objeto escogido no pueda astillarse y que no pueda tragarse. Evite los trozos largos de hueso: recordamos un Teckel que, sorprendido mientras chupaba la médula de un trozo de hueso largo, hizo un movimiento un poco violento e introdujo su mandíbula inferior dentro del canal medular del hueso; este trozo de hueso le apresaba la mandíbula, fijado por los colmillos.

Cuántos perros no han tenido obstrucciones esofágicas debidas a huesos de costilla o perforaciones intestinales por astillas de huesos de pollo.

Algunos perros son más "orales" que otros; el morder puede ser una forma de liberación de la tensión emocional causada por:

- la llegada inminente de los dueños;
- la dominancia del perro;
- el exceso de atención recibida por el perro cuando los dueños están en casa (el perro se dedica a morder objetos durante su ausencia);
- el aislamiento;
- la frustración de libertad;
- un traumatismo psíquico: traslado, vacaciones, llevado a la perrera, estancia allí, muerte de una persona querida o de un animal amigo, etc.;
- una modificación de los ritos y ritmos del perro, de sus hábitos alimentarios, etc.;
- el aburrimiento;
- las chucherías (comida) entre horas, y dadas de forma inconstante (el perro espera y espera, y no recibe nada).

Cuando él muerde un objeto autorizado, felicítelo. Pero si ataca un objeto prohibido, adopte una voz grave y quítele el objeto. Ofrézcale inmediatamente uno de sus juguetes aceptados y acarícielo si lo muerde. Coja el objeto prohibido, empápelo de alcohol y póngaselo en la boca. Si lo rechaza, anímele.

Este último procedimiento puede ser realizado de forma preventiva con los cables eléctricos, patas de sillas, etc. Lleve o tire del perro (no lo llame) hacia los objetos prohibidos perfumados con alcohol (desodorante). Esta operación no debe ser realizada con todos los perros sólo si hay una preferencia marcada de morder, pero a veces puede mostrarse muy útil.

El ladrido

Una vez adquirido, hacia las cinco o seis semanas, el cachorro es capaz de ladrar y es una manera de conversar con usted, de advertirle o de manipularle. El ladrido es modificable por condicionamiento (educación) y esto es de hecho, en la evolución, un precursor del modo de comunicación verbal de la especie humana.

El ladrido tiene pues significaciones variables y ciertos perros son más locuaces que otros. Usted puede tener sobre este comportamiento una influencia enorme animándolo o desanimándolo por métodos que ahora conoce.

Un cachorro puede ser vocalmente orientado. Coja un cachorro de seis semanas en sus brazos, colóquelo sobre la espalda, si se defiende oralmente, llorando, gimiendo o ladrando, puede ser que quizás sea orientado más vocalmente que otros. Corre el riesgo de tener más problemas con este perro. Utilice desde el principio las técnicas de prevención.

El perro ladra al menos por tres razones: el aislamiento social, la alarma y la búsqueda de una respuesta.

El primer motivo es rápidamente tratado eliminando el *aislamiento*: por ejemplo, haga dormir al perro en su habitación si ladra durante la noche. Pero el perro es a menudo aislado por otras razones: al morder objetos, destrucciones, mendigar, etc. que habrá que corregir

---

GUÍA PARA LOS LADRIDOS DEBIDOS AL AISLAMIENTO

1. Este método necesita que pueda vigilar al perro, aislado, sin que él conozca su presencia.
2. Aísle al perro.
3. El perro muestra signos de ansiedad, se mueve de aquí para allá, se aproxima a la puerta y va a empezar a ladrar.
4. Antes de que ladre, utilice una distracción (ultra) sonora que desoriente al perro de su primera intención (ladrar) y lo alejará de la puerta.
5. Espere y vigile al perro.
6. Empiece de (3) a (5) tantas veces como sea preciso hasta que el perro se calle durante suficiente tiempo.
7. Empiece de (1) a (6) hasta que el perro soporte el aislamiento sin ladrar, y esto en varias sesiones.

primero para hacer desaparecer posteriormente el problema de los ladridos.

El castigo físico acentúa normalmente el problema. Lo mejor es distraer al perro que está a punto de ladrar por un ruido (ultrasonidos, arañazos sobre una puerta, o todo sistema generador de un ruido inofensivo). Por condicionamiento y no-reforzamiento, el comportamiento puede desaparecer en un día, o en algunas semanas.

Una característica común en el perro y el lobo es intervenir vocalmente cuando hay una intrusión en el *territorio* de la manada. Mucha gente aprecia esto pero si el perro se pone a ladrar al mínimo ruido, esto a la larga, se convierte en molesto. Si ladra, tranquilícelo y vaya a ver después lo que sucede. El perro le ha avisado, ha hecho su trabajo, ahora le toca a usted hacer el suyo e ir a mirar los motivos de su sobresalto después de hacerle callar (no debe ladrar más de lo necesario). No le permita que ladre a la gente: el noventa y nueve por ciento de la gente no querrá hacerle daño y en el caso del resto su sola presencia le protegerá.

Con estas técnicas, se enseña al cachorro a alertar a su propietario ante una tentativa de violación del domicilio, y a ir a buscar, después de algunos ladridos, a su dueño quien, como líder, es responsable de la defensa de la casa.

GUÍA PARA LOS LADRIDOS TERRITORIALES

1. Utilice la misma técnica que para los ladridos por aislamiento, o la técnica siguiente:
2. Un amigo de confianza provocará diversos ruidos como si quisiera entrar en la casa;
3. El perro ladra;
4. Después de dos o tres ladridos, llame al perro y tranquilícelo (el perro debe evidentemente obedecer a la llamada).
5. Haga lo mismo dos veces por día, llamando al perro desde habitaciones cada vez más alejadas.
6. Evite siempre enfadarse, gritar y castigar al perro. Por imitación, él hará lo mismo, aumentando la voz y los ladridos.
7. Permanezca calmado y silencioso. Es curioso constatar que gente tranquila y silenciosa tienen perros que vocalizan mucho menos que aquellos de propietarios habladores, chillones y rápidos en el castigo y en encolerizarse.

Si el cachorro ladra ante cualquier cosa, distráigalo, como hemos mencionado anteriormente, a la mínima tentativa de vocalización.

Los miembros dominantes del clan gruñen y ladran a los subordinados. Si el perro ladra a su dueño, especialmente cuando es reñido, es tiempo de cambiar los papeles y de demostrar quién manda en el juego (diríjase a ese capítulo). *Un perro que ladra por amenaza es un perro que un día morderá.* No crea en el refrán que dice "perro ladrador poco mordedor" y no se fíe; sepa restablecer la dominancia.

No anime jamás a su cachorro a ladrar para pedir la comida pues, en caso contrario, aprenderá a manipularle y no alertarle. No lo anime a ladrar para salir. Estos dos comportamientos de recompensa intermitente (si cede aunque sea sólo una vez) se graban en el sistema nervioso del animal y son muy difíciles de eliminar.

Sepa comprender porqué ladra. Si está furioso contra la gente que pasa, cámbielo de lugar. Si ladra en su ausencia (los vecinos se quejan), grábelo y determine si es por soledad, porque han llamado a la puerta o porque el teléfono lo ha molestado. Póngale la radio que amortiguará los ruidos que lo perturban y le ofrecerá una forma de compañía para combatir el aburrimiento. Asegúrese, si está fuera, que está confortablemente instalado (ni demasiado calor ni demasiado frío) y que nadie lo inoportuna.

Controle los ladridos de su perro elevando la voz o castigando si es necesario: cubo de agua, tirachinas, collar eléctrico con control remoto, etc., deje trabajar su imaginación para crear castigos en los cuales su intervención física sea mínima para no romper la relación de amistad entre usted y el animal. Recompense su tranquilidad y su silencio, recompense los actos que desea conservar.

No olvide que el ladrido de amenaza supone la puerta abierta hacia la agresividad, y esto, debe evitarlo.

Saltar encima de la gente

Los lobeznos abandonan la guarida hacia las tres o cuatro semanas de edad y empiezan a alimentarse con comida predigerida. Saltan hacia la cabeza de su madre y le lamen los belfos, lo que estimula a la loba a regurgitar un poco de carne. Después del destete, este comportamiento persiste como saludo a los miembros dominantes de la manada.

El perro ha conservado íntegramente este comportamiento y si esto es aceptado (o deseado) en un perro de pequeño tamaño, por el contrario, cuando el perro tiene dimensiones más imponentes, existe el peligro de que haga caer a los niños o a personas débiles. Un Dogo alemán puesto en pie sobre sus patas traseras le mirará por encima, siempre que soporte la presión de su peso sobre sus espaldas.

Agacharse para recibir al perro

Enséñele otra manera de actuar:
1. salúdelo en posición agachada y eventualmente deje que le lama las manos;
2. no lo mime jamás si salta sobre usted para saludar;
3. si salta, desanímelo; písele los pies (sin fracturarle las falanges) o hunda su rodilla en su pecho (delicadamente) y
4. prefiera siempre el (1) y el (2) que el (3): este último sólo será eficaz en perros con reflejos de defensa pasivos (P.D.R. o cobardes) mientras que en los perros con reflejos de defensa activos (A.D.R. o agresivos) puede convertirlos en más irritables.

Rechace el acto cuando se produzca. Busque el castigo que sea efectivo sin ser brutal. Quizás tirarle un objeto ruidoso será eficaz, quizás su voz, seca y fuerte, ¿bastará? En todo caso, sea constante; si no salta, sea afectuoso, si salta, siga con la corrección, que lo hará volver sobre sus cuatro patas, y como es lo que usted desea, felicítelo. El castigo será pues seguido de caricias y de un contacto oral caluroso y agradable.

¿Cuándo es necesario enseñárselo? Un cachorro no es jamás demasiado joven para aprender un comportamiento adecuado para la sociedad en que vivimos. A las ocho semanas, o al menos a los tres meses, su cachorro puede no ensuciarse, saludar convenientemente, dejarle comer tranquilo y permanecer calmado sin ladrar sin ningún motivo. El ladrido territorial aparece hacia los cinco meses de edad y puede desanimarlo desde que empieza, a menos claro está que haya adquirido un perro para que le defienda y desee a cualquier precio que un día clave sus colmillos en la parte trasera de uno de sus mejores amigos (el perro agresivo es a menudo el reflejo de la personalidad escondida e insatisfecha de su propietario).

No pida demasiado a un perro que, a esta edad, está lleno de vivacidad, de dinamismo y que, a fin de cuentas, no tiene aún verdaderamente la edad de la razón y el temperamento más reposado de los adultos.

El cachorro mordedor

Ciertos cachorros tienen la molesta tendencia de morder y mordisquear las manos de sus dueños por cualquier razón, y sobre todo durante el juego. Es cierto que animando este tipo de comportamiento, podemos llegar a condicionar al cachorro a morder verdaderamente y a utilizar esta forma de comportamiento como técnica de investigación para toda la vida. Ciertos perros agresivos han encontrado en esto el origen de su agresividad.

Ciertos cachorros P.D.R. (cobardes) reaccionarán rápidamente ante un castigo oral o físico; sin embargo, esta técnica no hará más que agravar el comportamiento mordedor del cachorro A.D.R. (agresivo).

La observación del comportamiento de la perra con sus cachorros "mordedores" nos proporciona elementos para una aproximación terapéutica:

1. si el perro muerde o ataca, permanezca inmóvil, "congelado" en su lugar;

2. si esto se muestra insuficiente, "gruña" y haga un movimiento de amenaza rápido hacia el cachorro;

3. evite castigar de antemano que en (2), la perra no lo hace y no guarda ningún resentimiento hacia su prole; sólo les inculca el respeto a su dominancia;

4. si es insuficiente, distraiga al cachorro con un ruido (palmadas, etc.) tirándole uno de sus juguetes preferidos, o con ultrasonidos, etc.;

5. haga responder al cachorro a la educación de base: "ven", "sentado", "quieto" ("come", "sit", "stay") y

6. coloque al cachorro en posición de sumisión (véase página 25).

Empiece temprano, antes de que el comportamiento de morder se haya instalado en el sistema nervioso del perro. Como los cachorros que muerden son a menudo dominantes, reséñese a los (5) y (6) anteriores y al capítulo "¿Quién dirige el juego?".

Hay que insistir de forma importante en el tratamiento precoz, para una educación adecuada, de los problemas de agresividad. No escuche jamás a la gente que le diga que estas tendencias de carácter desaparecerán con la edad. Al contrario, hay periodos en que aumenta esta agresividad como:

- hacia las quince semanas, cuando se produce alejamiento natural del cachorro de su madre, del descubrimiento de excursiones lejos de la manada y por la fijación de una jerarquía entre cachorros, extrapolada bajo forma de jerarquía entre el cachorro y sus propietarios;

- en la pubertad, después de la entrada de los perros adolescentes en la jerarquía sexual.

Si no reaccionamos rápidamente, esta agresividad se refuerza y el recurso del mordisco se convierte en sistemático; el conflicto permanente entre el cachorro dominante y sus propietarios no hace más que agravar el fenómeno.

15

La educación activa (1)

Antes de hablar de los comportamientos condicionados a la orden, digamos unas palabras del **instinto de propiedad** del perro. Algunos lo tienen antes que otros, pero el lobo protege su comida y es bueno respetar esta tendencia innata. Sin embargo, no se deje manipular por el perro que ha robado la carne de la cena y actúe: ésta le pertenece y no a él. Permanezca el miembro dominante de la manada.

La llamada

La llamada es el comportamiento más fácil de enseñar y también, por el contrario, el más raramente conseguido. Fácil, pues es innato; el perro es un animal social y busca la compañía. Raramente conseguido pues, si el perro no viene enseguida, es castigado... cuando vuelve o cuando lo atrapamos, es decir cuando realiza precisamente el acto que le hemos pedido.

El cachorro aúlla y ladra cuando es separado de la manada. Sírvase de esta ley de "la atracción social" para enseñarle la llamada. Empiece desde que tiene ocho semanas. Diga su nombre, un nombre corto que se oiga bien y ordénele venir: "ven", "come to me". Escoja una forma y manténgala durante toda la vida del perro. Sea constante y consecuente con sus órdenes.

Llame al cachorro con voz clara (no es necesario chillar ni susurrar entre dientes) justo antes de la comida: ésta es la recompensa además de sus caricias. Cuando responda correctamente varias veces, llámelo en otras situaciones y recompénselo con comida y una voz suave.

Llámelo sólo cuando esté seguro de que le oye o le ve. El perro concentrado en una actividad permanece sordo al resto del mundo. Si le oye, le ve y se niega a obedecer, **váyase en sentido contrario** llamándolo con voz alegre: raros son los perros que no responden a esta invitación al juego (y a este truco de condicionamiento). Escóndase, él le buscará. No olvide nunca recompensarlo cuando vuelva. No pierda la paciencia. Siempre volverá, después de algunos segundos o algunas... horas. Recompense siempre su regreso.

Aquí esta la única dificultad de la llamada. Tiene prisa, está esperando a este... perro que no vuelve y se venga en él cuando al fin llega, contento de verle. Le está enseñando a evitarle. No viole la ley de "la atracción social", irá hacia problemas constantes en sus tentativas de educación.

Existe un procedimiento menos espontáneo, más minucioso, también más fastidioso, un procedimiento "paso a paso". Compre una fina cuerda de nailon de seis metros, ate al perro en un extremo y su muñeca al otro. Le ha de servir para ejercer una ligera tracción para animar al perro a volver. No lo arrastre (esto le desanimaría de este tipo de educación) pero tire ligeramente animándole con la voz, alegre y entusiasta, y proponiendo una golosina.

Si rechaza (¡qué obstinado!), utilice la "ira de los dioses". Un estímulo de aversión, "caído del cielo" le hará buscar su presencia reconfortante (protección por el jefe de manada). Vollmer utiliza un manojo de llaves tiradas delante del cachorro (que se alcja de usted) o sobre su grupa si es necesario. El ruido, más que el dolor, lo asustará y si lo llama con voz afectuosa en este momento, esto lo animará más que nada a volver hacia usted. Puede hacer este entrenamiento solo o con un ayudante.

Otros estímulos de aversión pueden ser utilizados como un tirachinas, un collar eléctrico con control a distancia para el dueño, etc.

Entrene al cachorro a volver en cualquier circunstancia y ante cualquier estímulo. Es necesario, evidentemente, empezar por el procedimiento más sencillo para llegar a lo más complicado. No es preciso pedir a su alumno lo que es capaz de realizar. Empiece pues en casa, antes de las comidas, después fuera de éstas, antes de salir..., a continuación en el exterior, solo en un lugar tranquilo, con otras personas, otros perros, en el bosque, durante el juego, etc.

Aumente la distancia, dos metros cada vez. Pase progresivamente de seis a doce metros, después suelte la cuerda y finalmente, desátelo.

Si va a peor, temporalmente reemprenda las lecciones en un estadío anterior. Emplee todo su tiempo. No queme etapas.

Acompañe su llamada con un gesto con el brazo. Agachado o inclinado hacia delante, golpee su muslo con la palma de la mano, brazo desplazado lateralmente (con un movimiento de aducción). Añada una sucesión de dos silbidos breves. Así, por condicionamientos sucesivos mantendrá a su perro bajo control auditivo próximo (voz) y lejano (silbido) y bajo control visual (brazo).

Aún algunas palabras sobre este sujeto y primeramente sobre una pregunta controvertida: cuando llamamos al perro, ¿debe hacerse una vez o repetidas? Repetidas veces si el perro no nos ha oído la primera vez o para estar seguros de que el comportamiento (regreso) sigue a la orden. Una sola vez pues, si el perro nos ha oído perfectamente y se ha hecho el sordo, repetir la orden le enseña a no obedecer y a no regresar rápidamente. La solución se encontrará entre las dos posiciones extremas: repetir la orden dos o tres veces para asegurar que el perro la ha comprendido y después castigar a distancia y animarlo a los primeros indicios de regreso. Dos o tres llamadas con voz clara (o un silbido) deben ser suficientes.

Las lecciones de entrenamiento deben ser cortas (algunos minutos), repetidas y terminarse con caricias y mucho afecto. Deben ser realizadas por todos los miembros de la familia.

GUÍA PARA LA LLAMADA

1. Llame al cachorro con voz clara justo antes de las comidas.
2. Cuando acuda, llámelo en otras ocasiones y recompense con comida; hágalo en el interior de la casa.
3. Cuando el (2) sea realizado, haga lo mismo en el exterior de la casa.
4. Si el perro no vuelve, átelo a una cuerda de seis metros de largo y acompañe su llamada de una ligera tracción y anímelo al mínimo indicio de regreso.
5. Si se aleja de usted, tire delante de él un objeto que haga ruido (o si es necesario sobre su grupa) que lo sorprenderá más que le hará daño y llámelo como en (4).
6. Aumente la distancia cada vez en dos metros. Pase de seis a doce metros.
7. Suelte la cuerda dejándola atada al perro.
8. Desate la cuerda.
9. Acompañe su llamada de un gesto con el brazo: golpee su muslo con la mano, brazo extendido, lateralmente.
10. Acompañe su llamada oral y gesticular con una señal auditiva: dos breves silbidos.

"Sentado"

"Sentado" no presenta ninguna dificultad particular. Es una de las posiciones más frecuentes del perro, atento, fijando su atención. Puede enseñarle la palabra de forma pasiva, hacia las ocho semanas, repitiendo la orden cuando el perro está ya espontáneamente en posición de sentado. Esto le permite asociar el vocabulario a la situación.

"Sentado", "sit", o "up" son palabras corrientes. Las palabras inglesas tienen la ventaja de no tener más que una sílaba y la palabra "up" (que significa realmente de pie) lleva a más distancia que el "sit". Sea cual sea la palabra usada (en español, en inglés, en ruso, en chino, etc.) una vez escogida, consérvela definitivamente. Si cambia, el perro no le entenderá.

"Sentado" puede ser aprendido de forma activa. Pronuncie el nombre del perro, diga a continuación "sentado" (o "up"...) poniendo su mano justo por encima de la cabeza del perro, presentando un juguete o mejor, una recompensa apetecible.

Si el perro no responde favorablemente, haga lo mismo después de haberlo colocado delante de una pared: no pudiendo ir más hacia atrás y habiendo de levantar la cabeza para

obtener su golosina, deberá sentarse. Felicítelo y déle su recompensa.

Si aún es insuficiente, levántele la cabeza, presionando con su mano la mandíbula inferior, de abajo hacia arriba. Eventualmente, presione sobre los cuartos traseros para hacerlo sentar.

Cuando se siente a la orden oral, acompañe su petición de una orden gestual: brazo levantado (brazo derecho) y estirado. Por condicionamiento progresivo, esta orden será tan eficaz como la voz y a mucha más distancia.

Recompénselo una vez se haya sentado, pero espere antes de darle la golosina a que mantenga la posición un corto periodo de tiempo. Cuando el perro se siente a la orden a su lado, hágalo obedecer a distancias crecientes, por ejemplo, haga que cada vez sea medio metro más lejos. Pronto el perro se sentará a su orden a unos veinte metros de distancia.

En este momento, enriquezca su vocabulario: desea que mantenga la posición durante más rato. Haga que se siente, brazo extendido, a continuación dígale "quieto" o "stay" y doble el brazo, manteniéndolo en esta posición el tiempo durante el cual desee que el perro permanezca sentado.

A continuación aléjese después de haberlo hecho sentar: "sentado", brazo levantado extendido, "quieto", brazo levantado doblado, retroceda y aléjese del perro, aproxímese y recompénselo. En la etapa siguiente, haga lo mismo pero en lugar de aproximarse, baje el brazo y golpee su muslo con la mano: "ven", que es la nueva recompensa es decir, la liberación de la orden.

Si se mueve antes de la liberación (evidentemente tiene ganas de seguirle), colóquelo en la primera posición exacta, y vuelva a empezar. Sobre todo, no se desanime ni se impaciente. Pronto, podrá dejarle en posición para más tiempo.

Repita este entrenamiento en situaciones y en lugares distintos.

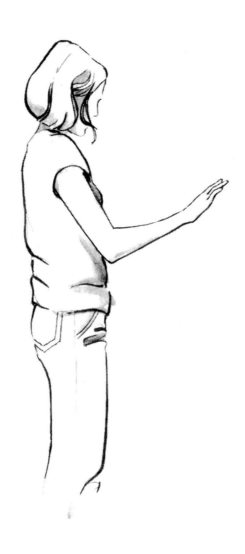

"Quieto"

GUÍA PARA "SENTADO"

1. Pronuncie el nombre del perro y la palabra "sentado" ("up").
2. Mantenga su mano (con o sin golosina) encima de la cabeza del perro.
3. Si se sienta recompénselo.
4. Vuelva a empezar de (1) a (3) varias veces durante varios días.
5. Si es ineficaz, después de la orden, levántele la cabeza presionando con la mano el mentón del perro de abajo hacia arriba. Recompénselo después de que se haya sentado.
6. Si esto se muestra insuficiente, presione hacia abajo los cuartos traseros del perro, con suavidad, manteniéndole levantada la cabeza como en (5).
7. Una vez que se siente a la orden, a sus pies, espere algunos segundos antes de darle la recompensa y diga "quieto" ("stay"). Enseguida recompense.
8. Acompañe su orden oral de un gesto: brazo levantado por encima de la cabeza para "sentado", brazo doblado para "quieto".
9. Haga obedecer al perro a distancias crecientes, por ejemplo, cada vez aumente el espacio en medio metro.
10. Si se mueve, colóquelo en la posición que tenía en el momento que ha dado la orden y vuelva a empezar, tantas veces como sea necesario.
11. No se desanime nunca. Tenga paciencia y progrese lentamente, sin quemar etapas.
12. Comience en lugares tranquilos y finalice en lugares con numerosas distracciones.

Es importante remarcar que el método comentado en (6) que precisa un contacto físico, es menos efectivo y más lento: el estímulo visual y auditivo es contrariado por el estímulo táctil (mucho más fuerte por la sensibilidad exquisita del perro al tacto). En los mejores casos, todo transcurre correctamente, pero en otros, el perro únicamente se sienta cuando le bajamos los cuartos traseros.

En la mayoría de los casos, el educador pasará del (4) al (7).

16

La educación activa (2)

Echado

"Echado" (o "down") es una de las claves de la educación. Hablamos, preferentemente, de educación, que es una manera de guiar, de canalizar y enriquecer un comportamiento natural mientras que la palabra adiestramiento hace pensar ante todo en un "lavado de cerebro", en una transformación del individuo en una máquina, el botón de la cual será el adiestrador. El "down" es una clave de la educación del perro de caza pero igualmente del perro de familia: convierte al animal en agradable para vivir, poco molesto en casa y de visita, en el restaurante y en el hotel; permite al perro ser llevado a todas partes, lo que le enriquece la existencia y la experiencia y le evita el aislamiento aburrido en casa durante sus ausencias.

El "echado" es tan fácil de aprender como el "sentado" y si ha conseguido uno, el otro no le supondrá demasiadas dificultades. Según Lorenz, las gentes menos hábiles en educación canina deben ser capaces de conseguirlo. Es necesario, según él, empezarlo entre los siete y once meses de edad del perro. En nuestra opinión no hay efectos negativos si se empieza algunos meses antes, de forma suave, y cuando el cachorro no está demasiado excitado.

Se enseña de forma pasiva, repitiendo la palabra cuando el perro está espontáneamente en posición de echado, sobre el vientre, y de forma activa forzándolo a adoptar esta posición a la orden.

Pase la mano delante de la línea de visión del perro y colóquela en el suelo delante de él, pronunciando la palabra "down". Repeticiones y felicitaciones cuando el perro baja la cabeza.

Si no se echa, extienda sus patas delanteras y felicítelo.

Si rechaza este método visual, apóyelo contra el suelo, suave y firmemente, sujetándolo por la nuca y el lomo, diciendo "echado".

El perro **con correa** puede ser forzado al "down", tirando de la correa hacia abajo, poniendo la mano en el suelo o tirando de la correa hacia arriba después de hacerla pasar bajo la suela de su zapato (que juega entonces el papel de una polea).

"Sentado"

Pase la mano por delante de la línea de visión del perro

y colóquela en el suelo delante de él pronunciando la orden "echado" ("down")

El perro puede comprender al instante o necesitar numerosas repeticiones. "Down", echado espontáneamente o forzado, algunos segundos de espera con "stay" brazo doblado, la recompensa, dos pasos hacia atrás y el "come to me" o "ven" liberador.

Escoja un lugar donde el perro se echaría por sí solo, al menos para empezar este aprendizaje. Más tarde se echará a la orden, donde sea, si es necesario.

Tampoco es conveniente que un perro bien educado, se eche después de estar sentado: los dos comportamientos son independientes y mandados separadamente por órdenes específicas.

La lección no debe virar hacia el juego, volviéndose el perro sobre el flanco o la espalda, con las patas

en el aire. Colóquelo en posición, echado sobre el vientre, patas traseras dobladas debajo de él y las patas delanteras extendidas, cabeza agachada. Aumente progresivamente la duración del "down" y aléjese del perro echado.

Después de haberle enseñado el echado de cerca, empiece a aumentar la distancia. La orden debe ser seguida inmediatamente de la acción; en caso contrario, lleve al perro al lugar donde se encontraba cuando la orden ha sido dada y colóquelo en "down"... Asocie a la voz un silbido prolongado para grandes distancias (tuu-uu). Tenga el brazo doblado para el "stay" ("quieto") en posi-

ción de echado; mantenga algunos segundos o algunos minutos de espera y a continuación el "come" ("ven") golpeando el brazo sobre la pierna, y la golosina. El "come" es ya por sí solo una forma de recompensa.

A continuación aumente la dificultad del ejercicio: "down" a distancia (después "stay") y muévase, corra, escóndase, permaneciendo el perro inmóvil, al final el "come" liberador.

Los cazadores enseñarán enseguida el "down" al disparo y cuando la presa huye, para no molestar la caza, pero el perro de familia puede contentarse con los ejercicios precedentes.

Si el perro muestra no querer seguir más el ejercicio, déjelo para el día siguiente. El perro no obedece por un sentido del deber sino por necesidad y cuando esto le place. No haga los ejercicios cansados o monótonos, no obtendría nada de su amigo.

Déjele uno u otro objeto, si usted desaparece; el perro se sentirá menos solo y estos elementos le serán una forma de promesa de su retorno. Además el perro los defenderá con la energía del desespero sí un desconocido intenta apropiárselos (Lorenz).

Realice el ejercicio en diferentes lugares, tranquilos al principio, más bulliciosos después (patio de una granja, lugar público) pero no deje al perro solo y echado en una acera abarrotada o en una plaza cualquiera el día del mercado. ¡Educación, sí, tortura, no!

Este ejercicio es el ejemplo mismo del refuerzo positivo; el castigo no está jamás admitido.

"Bed"

Una versión particular de "echado" es enseñar al perro a ir a su rincón, a su cesto, sobre su manta, a su sofá, etc., a un lugar bien escogido, siempre el mismo, donde tiene su cama. Escoja el lugar con el perro, el lugar donde le gustaría dormir (si prefiere el frío o el calor, etc.) y escoja su vocabulario con cuidado: "manta", "rincón", "bed", "cesto", etc.

GUÍA PARA "ECHADO"

1. Estando el perro en posición de sentado, pase la mano por delante de la línea de visión del animal y póngala en el suelo, pronunciando al mismo tiempo la orden "echado" ("down").
2. Si el perro baja la cabeza, recompénselo.
3. Después de varias repeticiones de (1) y (2), si el perro se echa, felicítelo efusivamente.
4. Vuelva a empezar de (1) a (3) durante varias sesiones, varios días.
5. Si es ineficaz, cuando el perro baje la cabeza (2), extienda sus patas delanteras hasta que esté echado y recompénselo.
6. Vuelva a realizar el (5) durante varios días.
7. Si es insuficiente, tenga al perro echado, suave y firmemente, presionando sobre la nuca y el lomo, repitiendo la orden. Recompense enseguida.
8. Empiece tantas veces como sean necesarias.
9. Cuando el perro esté "echado" cerca, haga un paso hacia atrás y libere al perro con la orden de llamada.
10. Haga que se eche por espacios de tiempo más largos.
11. A continuación aléjese de él manteniéndolo echado con el "stay", "quieto". Enseguida la llamada liberadora.
12. Gire en torno a él, muévase; el perro debe permanecer echado inmóvil.
13. Acompañe la voz con un silbido prolongado y con el brazo doblado para el "stay".
14. Haga que se eche a distancias mayores.
15. Hágalo echarse al disparo de fusil, etc. (entrenamiento más específico del perro de caza).

Esto puede ser enseñado a perros muy jóvenes de forma pasiva (repita la palabra escogida cuando el perro vaya a dormir espontáneamente a su rincón o conduciéndolo cuando quiera descansar) y de forma activa llevando al perro al lugar y obligándolo a echarse a la orden.

Si quiere escaparse, manténgalo echado en su rincón y después libérelo a la orden de "come to me", "ven" o cualquier otra palabra de llamada.

Progresión en el tiempo, recompensas, caricias, refuerzo positivo son las reglas que usted conoce.

Este aprendizaje (véase pág. 97) tiene un gran valor: impide al perro correrle entre las piernas, convertirse en impopular en sus reuniones de amigos, pero sobre todo permite al perro permanecer con usted (ley de la atracción social), adaptarse mejor a otras personas. Si se convierte en molesto, lo dejará solo (en el garaje, en la cocina, en el sótano o en cualquier parte...) y violará las leyes caninas: frustración social, frustración de libertad, condicionamiento de tipo pauloviano enseñando que toda reunión, toda visita es una fuente potencial de emoción desagradable visto el aislamiento que conlleva. ¿Cómo no inducir de esta forma la agresividad?

El "bed" es un preventivo de la agresividad territorial.

Caminar al lado

El ejercicio siguiente, andar al lado, parece más difícil de realizar pero tiene un gran valor para todos aquellos que no quieren ser molestados por una correa o arrastrados por su perro, atado, a paso de carrera.

Consiste en hacer caminar al perro al pie (a la altura de la rodilla) de su propietario, siempre en el mismo lado, a la *izquierda* para los propietarios diestros (en la caza cuando disparan, fusil sobre el hombro derecho, el cartucho cae a la derecha y por tanto no sobre el perro, colocado a la izquierda) y a la derecha para los zurdos. Si usted no caza y el lado le es indiferente, sepa que en las sesiones de "adiestramiento" en grupo, los perros andan a la izquierda de sus dueños. Cuando haya escogido un lado, manténgalo.

Haga el ejercicio (es decir vaya a pasear) con su perro con correa, atado corto, su cabeza al nivel de su rodilla repitiendo la palabra "al lado" o "heel". Acostumbre al perro a una fina correa, que apenas pese, será más fácil en adelante enseñarle lo mismo pero sin correa.

Si tiene tendencia a tirar hacia atrás, tire un poco sobre la correa. Si tira hacia delante, déle pequeños golpes encima del morro con el extremo libre de la correa. Si lo hace constantemente, ande a lo largo de un muro o de una valla o por caminos estrechos, forzando al perro a permanecer detrás de usted.

Otra técnica que puede ofrecer grandes servicios: el educador mantendrá la correa en la mano derecha, tras su espalda, estando el perro a su izquierda, al tirar éste o avanzarse, dará un pequeño tirón seco a la correa. Este método tiene la ventaja de no dejar ver la correa al perro y por tanto de no hacer depender el "heel" de la misma.

Si el perro adelanta constantemente al educador, éste girará de 90 a 180 grados, desorientando al animal y quitándole la posibilidad de dirigir las maniobras (signo de dominancia).

Gire a la izquierda si el perro se avanza, chocará contra él y aprenderá a andar a su paso; gire a la derecha si no avanza, se verá obligado a apresurarse para seguirle.

El cambio de dirección permite una tracción de la correa en el lado del perro, lo que es más eficaz para un animal de gran talla, que no tirar en el sentido del eje del cuerpo.

Después de varios kilómetros, cuando el perro le siga sin problemas al "heel", afloje un poco la correa, a continuación suéltela, finalmente, retírela, todo ello en sesiones progresivas. Si quiere alejarse de usted, colóquele otra vez la correa. No tenga miedo de ir demasiado... lentamente y de retroceder a algunas lecciones anteriores.

Después del entrenamiento en solitario, llévelo a lugares más frecuentados y termine en estaciones o plazas públicas.

El día en que el perro responda perfectamente a sus órdenes, sólo en este momento le permitirá variantes personales, echarse con la cabeza erguida, andar un poco separado y alejarse algunos segundos para volver enseguida a su lugar, etcétera.

17

Juego, cobro y relaciones

El **juego** comienza cuando se detiene la supervivencia. Los cachorros recién nacidos luchan por los pezones más llenos. Más tarde, hartos y descansados, entran en el juego. El juego es un término genérico, habría que decir "los juegos". Hay tantos como movimientos innatos; los instintos a veces se manifiestan en vacío o por futilezas. Existe una necesidad de jugar; el juego es una actividad voluntaria que no puede ser desencadenada ni por privación ni por refuerzo: recompensándolo, el juego se detiene rápidamente (Chauvin). Podemos desencadenarlo con ciertos estímulos: la cola de la madre se convierte en un enemigo mortal que uno combatirá solo o en grupo. El aprendizaje se hace así con suavidad y alegría, el placer refuerza el acto.

Desde que los lobeznos salen de la cueva, su padre juega con ellos. Los entrena pronto en excursiones de persecución que afinan sus sentidos de cazadores, salta sobre ellos de improviso, aumentando sus reflejos de prudencia. El juego endurece a los jóvenes y mejora los movimientos innatos, confiriéndoles una perfección refleja.

El cachorro juega, persigue, salta, caza y se pelea. En el juego, se relaciona con sus hermanos y hermanas, dominante o sumiso, y escala en la jerarquía social. En sus peleas, aprende la fuerza de su mandíbula y la agilidad de su cuerpo. En sus persecuciones, afirma su velocidad y aumenta su resistencia muscular y respiratoria. En sus saltos y carreras, aprende la profundidad de campo y la distancia de las cosas.

El cachorro se ejercita en reconocer la fuerza y debilidad que usted tiene. Dominante le desafía y le muerde; sumiso juega echándose en el suelo y orina ante la mínima amenaza de su parte; independiente le dejará chillar sin variar sus ocupaciones.

El juego es un aprendizaje pero su educación no debe ser un juego. Las sesiones de obediencia deben ser serias, cortas y seguidas de recompensas y de juegos.

Espontáneamente, el perro le **trae** (cobra) objetos. Usted se los lanza y él va a buscarlos. Este aporte espontáneo es un gusto innato que muchos cazadores utilizan y orientan en sus perros. Lance estos objetos cerca de donde está para estar seguro de que el perro los encontrará sin buscar demasiado.

A continuación complique el ejercicio. Haga sentar al perro. Lance el objeto ("motivador"). Espere algunos segundos y suelte al perro indicándole la dirección: "get out", "va" y cuando llegue a las cercanías inmediatas del objeto: "busca". Después que lo haya encontrado, llámelo, haga que se siente y cójale suavemente el objeto diciéndole "suelta" o "da" o "dead". Recompénselo y empiece el ejercicio tan-

Sumisión

tas veces como sea necesario. Puede entonces complicarlo, haciendo buscar el objeto en cuestión escondido, alejándose, etc., pero todo esto es educación especializada que sobrepasa el contenido de esta obra y que, además, no empieza hasta después de los seis meses de edad.

El juego conduce a los cachorros a **interaccionar** entre ellos, con miembros de la misma especie. Un cachorro, socialmente equilibrado, va a buscar la compañía de sus congéneres caninos para emprender una actividad social bajo formas diversas: juego, combate, corte a sus damas, duelos de prestigio o de dominancia, etc. Es una necesidad fundamental, en el perro, que, si es realizada por animales equilibrados, conduce raramente a dificultades (por ejemplo, peleas a muerte).

El tímido da testimonio de su posición subalterna por sumisión o huida, el dominante afirma su autoridad gruñendo y mostrando los dientes si es necesario (orejas erectas, pelo erizado), el independiente se desinteresa eventualmente de lo que sucede, el pretencioso gira la cabeza para no ver a los otros perros (que él no quiere frecuentar). Una vez la jerarquía está establecida, las amenazas se convierten en respetuosas e invitaciones al juego y las persecuciones y galopadas son la delicia de jóvenes y viejos.

Los problemas sólo se plantean si dos perros dominantes se encuentran y ninguno de los dos quiere ceder en su rango. Pero aun en estos casos, los animales prefieren irse noblemente cada uno por su lado. Y a menudo la pelea es desencadenada por los propietarios no advertidos o histéricos que tiran de su perro con la correa, lo estrangulan, lo que los vuelve furiosos y desencadena las hostilidades.

Un perro con correa ve su agresividad reforzada con aquélla, a menudo todo teoría, de su dueño. Frecuentemente, pero no en todos los casos, el moloso atado se convierte en cordero estando en libertad. Esta imagen es fuertemente exagerada, seguramente, pero es verdad y remarcable de constatar que perros libres (no trabados, sin correa) y sin propietario se entienden a menudo mejor que ante la presencia de sus dueños (cuando dos perros deben cohabitar y no se entienden, puede estar seguro que las peleas ocurrirán nueve veces sobre diez en presencia de los dueños y por error de estos últimos).

La talla de los perros no pone muchos problemas: un Yorkshire agresivo podrá hacer huir a un Terranova tímido sin dificultad. La talla no debe impedirle dejar a su perro establecer relaciones. Si su perro está bien educado, que obedece a su llamada, déjelo jugar algunos minutos, y después llámelo para continuar con su paseo. Su perro no tendrá frustración por falta de contactos caninos y su socialización será mejor.

En la ciudad evidentemente, no deje correr a su perro en libertad;

mantenga un control constante, téngalo atado con correa y evite los accidentes: vale más un perro un poco frustrado por falta de libertad que un perro atropellado. A fin de cuentas, todo es cuestión de equilibrio y de armonía entre sensibilidad, instinto y educación.

Una palabra que su perro habrá comprendido sin entrenamiento es el "no" (los perros son educados antes al "no" que al "sí", los niños también) y no tendrá que insistir demasiado en esta orden.

Si ha conseguido enseñarle todo o una parte de lo que precede sin dificultad, no se detenga en tan buen camino. Enriquezca las capacidades de su animal. Puede enseñarle todo, claro está, en la medida de sus posibilidades. Cazar, buscar pistas, cobrar, defender o atacar, jugar al balón, hacer el payaso, cantar con usted de corazón y a coro, aprender a leer y calcular...

Un libro muy bueno de J.L. Victor habla precisamente de estos perros que leen, calculan y escriben: es decir, teclean con la pata códigos cifrados correspondientes a letras del alfabeto y conversan así con aquellos que comprenden estos códigos y se los enseñan. El método es sencillo: sesiones de enseñanza cortas, refuerzo positivo y repeticiones, letras de grandes medidas. ¿El resultado? Un perro que les explica lo que ha sucedido y cuándo y le dice que tiene que amarlo, ¡mucho, mucho!

Tales enseñanzas no empiezan hasta los seis meses de edad, después de la pubertad, cuando el perro está más tranquilo y su primera educación (sus primeras clases) ha sido realizada. A los seis meses, su personalidad y su carácter están formados, sus capacidades mentales están establecidas incluso aunque sus conocimientos puedan ser aún aumentados. **A los seis meses el perro está hecho**. Ahora podrá rentabilizar los meses pasados de trabajo y de educación.

Bibliografía

Baumann, D. *El perro*. Ediciones Omega, S.A., Barcelona 1993.
– *Guía del perro joven*. Ediciones Omega, S.A., Barcelona 1993.
Beckman, G. *El perro fiel. Cómo conseguirlo*. Ediciones Omega, S.A., Barcelona 1995.
Brehm, H. *El perro. Cómo alimentarlo correctamente*. Ediciones Omega, S.A., Barcelona 1995.
– *Nuestro perro está enfermo*. Ediciones Omega, S.A., Barcelona 1995.
– *Enfermedades del perro*. Ediciones Omega, S.A., Barcelona 1996.
Dehasse, J. y de Buyser, C. *L'homéopathie? Pour votre chien? Pour votre chat?* Éditions Vander, Bruselas 1987.
– *Mon chien est d'une humeur de chien*. Éditions Vander, Bruselas 1989.
Fogle, B. *El cuidado del perro*. Ediciones Omega, S.A., Barcelona 2003.
– *Manual del dueño del perro*. Ediciones Omega, S.A., Barcelona 2003.
– *El perro. Nuevo manual de adiestramiento*. Ediciones Omega, S.A., Barcelona 2005.
Harries, B. *El cachorro*. Ediciones Omega, S.A., Barcelona 1997.
Kejcz, Y. *Cómo hablar con su perro*. Ediciones Omega, S.A., Barcelona 1995.
– *Nuestro perro envejece*. Ediciones Omega, S.A., Barcelona 1995.
Marder, A. y Horwitz, D. *El gran libro del perro. Manual del propietario*. Ediciones Omega, S.A., Barcelona 1998.
Middelhaufe, S. *Los primeros meses de nuestro perro*. Ediciones Omega, S.A., Barcelona 1995.

Mioulane, P. *Cómo educar a su perro.* Ediciones Omega, S.A., Barcelona 1995.

– *Cómo elegir a su perro.* Ediciones Omega, S.A., Barcelona 1994.

Tennant, C. *Cómo vencer los malos hábitos en su perro.* Ediciones Omega, S.A., Barcelona 2003.

Wimmer-Kieckbusch, K. *Enseñe a jugar a su perro.* Ediciones Omega, S.A., Barcelona 1995.